A Carícia essencial

Roberto Shinyashiki

A Carícia essencial

Viva bem com as pessoas que você ama

Agradecimentos

Aos amigos que leram os manuscritos, fizeram comentários e deram sugestões muito importantes. As Carícias que recebi de vocês foram muito lindas e bastante motivadoras.

A Ana Helena Banzatto, Ademir Ramos da Silva, Alfredo Simonetti e Esther Pinski, que participaram comigo em cada passo do livro, discutindo ideias, conteúdo, cada capítulo novo. A orientação de vocês às vezes me lembrou de meu pai me tomando pela mão e me ensinando o novo.

Aos meus clientes de terapia e *coaching*, por terem confiado em mim e se entregado à fascinante e arriscada aventura de conhecer o eu mais profundo e procurar caminhos que verdadeiramente alimentam a sua alma.

À equipe da Editora Gente, que me ajudou nesta nova versão de *A Carícia essencial*. Admiro vocês não somente por serem comprometidos com a ajuda que me deram para fazer um livro sensacional, mas por se comprometerem com a missão de ajudar as pessoas a realizarem seus sonhos e terem uma vida mais plena. Um abraço muito especial a Alessandra Ruiz, Gilberto Cabeggi,

Rosely Boschini e Daniela Folloni, por estarem juntos nessa reconstrução do texto.

Este livro é uma criação coletiva. Se não nas ideias, pelas quais assumo total responsabilidade, pelo menos uma criação coletiva de amor, que une a todos nós em nossa vontade de ajudar a humanidade.

Vocês todos tornaram a tarefa de escrever este livro uma aventura muito mais fascinante.

A Carícia essencial versão 2012

A primeira edição deste livro foi lançada há 30 anos. Naquela época, os relacionamentos humanos já eram complicados e, por isso, falar da importância de dar Carícias foi um sucesso. Foram mais de 1,5 milhão de exemplares vendidos até hoje!
 Muita coisa mudou de lá para cá. Os relacionamentos humanos ficaram ainda mais complicados. Tão complicados que decidi que era a hora de atualizar e reescrever o conteúdo destas páginas. Pensei comigo: "Roberto, mais gente está precisando entender de Carícias. Você precisa fazer a sua parte".
 Imagine que, na época em que a primeira edição se esgotou, os comportamentos eram tão diferentes que uma mulher era capaz de brigar com o marido se ele chegasse em casa às 6h30 da tarde! Hoje, chegar às 6h30 é um luxo, coisa para poucos. E a mulher não está mais em casa esperando, mas trabalhando tanto ou mais que o marido.
 Homens e mulheres vivem em uma enorme pressão por resultados, em uma correria sem fim, com uma grande necessidade de estar sempre disponíveis por e-mail, SMS, celular...

Nessa luta pós-moderna pela sobrevivência, parece que é impossível viver bem com as pessoas que você ama. Ninguém dá atenção a ninguém. Ninguém mais diz: "Puxa, como você é importante para mim". Começam as carências, começam os conflitos.

No início de meu treinamento em Análise Transacional, tive a honra de aprender com um dos maiores especialistas da área: um argentino chamado Cecílio Khermam. Certa vez, ele disse uma frase que ficou para sempre em minha memória: "Quando você não estiver entendendo o que está acontecendo com alguém, pense em termos de Carícias". Assim:

- Um adolescente pode usar drogas como forma de dizer aos pais: "Preciso de sua atenção".
- Uma jovem tem atos de rebeldia por talvez estar precisando de alguém que lhe diga: "Você é muito inteligente".
- Um universitário que vive estressado para tirar a nota máxima pode estar sofrendo da necessidade de que alguém lhe fale: "Eu amo você independentemente da nota que você tirar".
- Um chefe que para de falar com o subordinado pode estar dizendo: "Eu me sinto desvalorizado porque você está sempre atrasado".
- Um funcionário exemplar que começa a atrasar pode estar dizendo: "Eu não me sinto importante aqui".
- Uma pessoa que se tranca no quarto para ficar horas na internet pode estar totalmente incapaz de criar um vínculo afetivo pessoal.
- Um homem casado que busca sexo virtual em sites de relacionamento pode estar procurando a satisfação que não encontra em casa.

- Uma mulher linda que começa a ficar desleixada pode estar precisando ser vista como competente.
- Um marido que perde o desejo pela esposa pode estar dizendo que não se sente mais amado.
- Uma mãe com crise de alergia sem uma causa aparente pode estar dizendo que sente falta de carinho.

Quando alguém, em qualquer lugar, tiver um comportamento que não faz parte do seu jeito de ser, pode estar falando bem alto: "Preciso me sentir importante para você!".

Se fala alto e não é ouvido, começa a gritar. Se não recebe nada em troca, fica afônico. Tudo isso para chamar a atenção e pedir determinadas Carícias.

O corpo perde o viço, o olhar perde o brilho. A pessoa não consegue se sentir importante para quem ama ou quem considera importante e admira.

Quando uma pessoa estiver agindo de modo autodestrutivo, em conflito, é preciso descobrir de que tipo de Carícia ela está precisando.

A Carícia certa para ela será a Carícia essencial.

Descobrir e dar a Carícia essencial de que esse indivíduo precisa é a melhor maneira de esvaziar o comportamento distorcido dele, fazer com que ele volte ao eixo. E, sem dúvida, é a melhor maneira de ajudá-lo.

Essa orientação do meu professor me ajudou demais a ajudar muita gente. Vejo que neste mundo de cobranças desumanas as pessoas precisam, mais do que nunca, se sentir importantes.

Quando os sintomas aparecem, é hora de agir, sair do próprio umbigo e olhar para o outro com generosidade, e descobrir como pode fazê-lo feliz.

Neste mundo, está fácil dar todo tipo de presente, do eletrônico que o filho pede a rosas para a mulher que se quer conquistar.

O que não se encontra facilmente é alguém que nos ajude a nos sentirmos especiais.

E você pode ser essa pessoa na sua família, no seu trabalho, na sua roda de amigos. Você pode fazer a diferença e viver bem com aqueles que ama.

Com o carinho de sempre,

Roberto Shinyashiki
Juquehy, verão de 2012

IMPORTANTE

Neste livro, utilizo conceitos da Análise Transacional, que foi escolhida por ser uma teoria consistente sobre o comportamento humano.

Desenvolvida pelo psiquiatra canadense Eric Berne, a Análise Transacional traz o conceito de *strokes*, que significa, ao mesmo tempo, estímulo, toque, Carícia e reconhecimento. Infelizmente, em português, não há uma palavra que traduza a plenitude de seu significado, o que leva algumas pessoas a optarem pelo uso do termo em inglês.

Aqui, além de estímulos e reconhecimento, usarei o termo Carícias (iniciando com letra maiúscula) como sinônimos para *strokes*. Ainda que incompletas, são palavras já consagradas pelo uso na comunidade científica brasileira. Sei, entretanto, que a palavra Carícia pode ter conotações diversas da que emprego nesta obra. Para que não haja interpretações equivocadas deste conteúdo, fica aqui a ressalva, para que os leitores tenham o correto entendimento que desejo para o termo.

Sumário

A DELICADA ARTE DE AMAR E SER AMADO 17
O filho perdido 17
A competência abandonada 18
A solidão acompanhada 19
Brigas de amor 20

CILADAS AFETIVAS 23
Eu machuco, tu machucas, ele machuca 23
O vazio da alma 25
Não caia na conversa de manipuladores 27
Não transforme carência em erro 29
Cuidado com as dependências afetivas 30

CARÊNCIAS E CARÍCIAS 32
Me dê um afago... 33
Qualquer afago... 34
Senão eu morro... 35
Me dê um minuto de atenção, por favor 36
Sem atenção você morre 40

O MUNDO DAS CARÍCIAS 44
Carícias positivas 45
Carícias negativas 46
Carícias incondicionais 47
Carícias condicionais 48
Carícias adequadas e inadequadas 50
Carícias de plástico 51
A Carícia essencial 52

COMO VIVER UMA VIDA SEM AMOR 54
Uma história de Carícias 54
Há limites para as Carícias? 57
Economizando Carícias 58
A greve de Carícias 61

AS 7 MANEIRAS EFICAZES DE DESTRUIR UM RELACIONAMENTO 68
1. Envolva mais pessoas nos desentendimentos 68
2. Seja quem você não é 71
3. Chantageie quando não receber Carícias 74
4. Critique a pessoa até conseguir o que quer 76
5. Rejeite as Carícias do outro 78
6. Não dê Carícias 80
7. Cutuque o ponto fraco do outro 81

A DINÂMICA DAS CARÍCIAS 86
Os altos e baixos dos relacionamentos 88
Filtro de Carícias 91
Transforme lixo em adubo 93

COMO VIVER BEM CONSIGO MESMO 95
Acredite em quem merece 97
Encontre o caminho que resolve 99

Resolva suas dificuldades enquanto elas são pequenas   100
Não alimente seus problemas   101
Mude para melhor   103
Ame a si mesmo   105
Dê-se Autocarícias positivas   105
Carregue sua bateria de Carícias   112
Consiga Carícias de várias fontes   115
Construa seu ninho para cuidar bem de você mesmo   117

COMO VIVER BEM COM QUEM VOCÊ AMA   119
Diagnostique as Carícias de que os outros precisam   119
Perceba que diferentes pessoas necessitam de
    diferentes Carícias   121
Mude seu padrão de dar Carícias   124
Crie abundância de Carícias   126

VOCÊ PODE ENCHER SUA VIDA DE CARÍCIAS JÁ!   127
Que bom não ser como antes!   127
Aceite e seja aceito   128
Tenha autonomia e liberdade   129

AME E SEJA AMADO   131
Nosso maior presente   131

REFERÊNCIAS BIBLIOGRÁFICAS   134

A delicada arte de amar e ser amado

O FILHO PERDIDO

Muitas vezes, nos iludimos pensando que todos os filhos de milionários são muito ricos.

Há alguns anos, recebi um telefonema com uma triste notícia: o filho do dono de uma grande empresa para a qual eu dava consultoria havia morrido. Era um jovem de 22 anos.

Infelizmente, não pude comparecer ao velório porque estava em viagem, mas como eles eram judeus, pude ir a um dos rituais diários que as famílias dessa religião realizam em casa durante sete dias depois da morte de um ente querido.

Quando eu estava indo embora, o irmão mais velho do jovem veio atrás de mim e me contou que na agenda do rapaz estava marcada nossa primeira reunião para eu orientar sua carreira, o que aconteceria na semana seguinte. Comentou que o irmão admirava meu trabalho e lamentou o fato de esse encontro não ter acontecido antes.

Na opinião dele, se a conversa houvesse ocorrido, tudo poderia ser diferente. Perguntei qual foi a causa da morte, visto que o rapaz parecia muito saudável. Com muito esforço para segurar as lágrimas, ele me confidenciou: suicídio. O rapaz havia se jogado do 15º andar do edifício onde moravam, em um dia em que todos estavam em casa.

Meu choque foi tão grande que não consegui trabalhar naquele dia. Fui para casa e fiquei em silêncio. Pensei no rumo que pode tomar a vida de alguém que tem tudo, menos amor.

Os pais daquele jovem sempre estiveram envolvidos em construir um grande império de negócios. Não tiveram tempo para estar perto de seus filhos, muito menos de descobrir quais eram suas reais necessidades. Certamente, dinheiro não era o que preenchia a alma daquele jovem. Ele precisava se sentir importante. Todos nós precisamos nos sentir importantes!

Eles sempre tiveram um estilo de vida caro, rico em presentes, mas pobre em oportunidades de estar juntos.

A COMPETÊNCIA ABANDONADA

Muitas vezes, nós nos iludimos pensando que um profissional deixa seu desempenho cair por não estar mais interessado no trabalho.

Toda semana, vejo profissionais apaixonados pelo que fazem pararem de trabalhar com prazer.

Falta de comprometimento? Não!

Falta de se sentirem importantes!

Quando trabalhei no clube de futebol Atlético Paranaense, o jogador de futebol Cleberson me contou uma história que viveu durante a conquista da Copa do Mundo do Japão, em 2002. Cleberson era um jovem de origem humilde que, dois anos antes de participar do campeonato mundial, trabalhava na lavoura recebendo aproximadamente menos de um salário mínimo.

A CARÍCIA ESSENCIAL

No meio da Copa, ele se sentiu triste e desmotivado porque o técnico, Luiz Felipe Scolari, o havia colocado na reserva. O estado de ânimo dele mudou completamente no dia em que o auxiliar técnico Murtosa entrou em seu quarto e falou: "O Felipão quer você totalmente ligado, porque seu papel vai ser fundamental na partida contra a Inglaterra. Esteja preparado!".

Depois dessa conversa, Cleberson se dedicou ao máximo nos treinamentos, participou de todas as atividades e ajudou muito o time no jogo contra a Inglaterra. E se tornou um dos mais importantes personagens da conquista daquele título para o Brasil.

Quantas vezes, na ânsia de melhorar um projeto, os empresários criam um ambiente no qual os funcionários se sentem sempre incompetentes? É muito triste ver como as pessoas cometem bobagens porque não se sentem valorizadas.

A SOLIDÃO ACOMPANHADA

Muitas vezes, nós nos iludimos pensando que os casamentos sempre terminam por falta de amor.

Há algumas semanas, um de meus melhores amigos veio jantar em minha casa com sua esposa. Apesar de alguns anos de casamento apaixonado, percebi que a separação era questão de meses.

O que me deixou triste foi ver como duas pessoas que se amavam conseguiram criar tantos conflitos em tão pouco tempo. Apesar do amor que sentiam, machucaram tanto um ao outro que tornaram a convivência impossível.

Alguns dias depois do jantar, ele me convidou para uma conversa. Desabafou dizendo que nunca se sentiu amado por sua companheira e por isso ia se separar. Citou os momentos em que a esposa foi agressiva com ele em minha casa e disse que não havia mais condições de viver com ela.

Eu disse a ele que, apesar de a situação ser difícil, estava claro que essa mulher era apaixonada por ele. Um estranho silêncio se formou no ar. Talvez meu amigo soubesse desse amor dela, mas não se sentia amado.

O silêncio prolongado, por falta de palavras, talvez fosse um sinal da dor que ele estava sentindo por ter se conscientizado do que acontecia. Apesar do amor que ele sentia pela esposa, era ele que não havia conseguido fazê-la se sentir importante e especial.

Brigas de amor

Por que tanta gente que se ama não consegue conviver bem?

Essa questão me acompanha desde que eu era criança, quando via meus pais brigando. Tinha certeza do amor que nutriam um pelo outro e ficava inconformado com a quantidade de vezes em que se desentendiam.

Lembro que, às vezes, quando estávamos assistindo a um programa de televisão, um deles fazia um comentário que machucava o outro. Era a deixa para a discussão começar: tom de voz aumentado, alguns gritos e em questão de minutos cada um ia para um lado batendo portas. E aquele vazio fúnebre ficava no ar.

Como aprendiz de psiquiatra, eu me perguntava: "Por que pessoas que se amam podem brigar tanto?".

Eu não pensava apenas nos casais. Referia-me também aos pais e filhos que se adoram, mas que discutem e sofrem por nada. Aos sócios que se admiram, mas que transformam o ambiente da empresa em um inferno por não conseguirem se comunicar. Aos amigos que se apoiam, mas se desentendem por acreditarem em maledicências e boatos.

Foi pensando em tudo isso que escrevi este livro: para ajudar você a encontrar a real solução para viver bem com quem você ama!

Você pode estar querendo me perguntar: "Mas, Roberto, como isso é possível?".

É simples: o segredo de qualquer relacionamento, seja familiar, social, profissional ou mesmo conjugal, é ajudar as pessoas a se sentirem importantes.

Sempre que presenciar uma briga, observe: conflitos sempre começam quando as pessoas não se sentem importantes, especiais. Quando há muita carência afetiva.

A carência afetiva virou uma praga. O ser humano moderno vive uma confusão de sentimentos. A última coisa que ele faz é lutar por algo de que precise de verdade.

Infelizmente, a maioria das pessoas se sente incompetente ainda que seja um pai ou uma mãe sensacional, um irmão querido, um profissional nota dez, um amante apaixonado ou um amigo leal. Só que esse sentimento incômodo não vem da incompetência ou da inabilidade de fazer qualquer coisa, mas de não se sentir valorizado por isso, ou seja, existe uma carência de atenção pelo que se faz e de sentir que isso tem valor para o outro.

Quando estamos carentes, fazemos bobagens e tomamos atitudes autodestrutivas, que derrubam ainda mais nossa autoestima.

Em resumo: quando você não se sente importante, volta o foco para machucar o outro em vez de resolver o conflito. E o outro acaba fazendo o mesmo. É assim que o paraíso se transforma em inferno:

- Magoamos quem amamos.
- Desanimamos quando o sucesso está na próxima esquina.
- Lutamos para ser admirados em vez de amados.
- Explodimos quando deveríamos escutar.
- Calamos quando deveríamos falar.
- Agimos impulsivamente quando deveríamos pensar.
- Ficamos confusos por não saber do que precisamos de verdade.

Enquanto as carências afetivas tiverem espaço em nossa vida, reclamaremos que o amor não existe.

Para ter a deliciosa sensação de amar e ser amado, você precisa resolver suas carências e ajudar as pessoas com quem vive em conflito a se sentirem importantes e competentes. Essa é a base de um relacionamento saudável.

Sentir-se amado significa sentir-se realmente importante para alguém. E quem está em paz consigo mesmo não precisa provar nada.

Tenho um amigo que admiro muito. Somos vizinhos de condomínio. No último verão, eu estava precisando de uma carona para retornar a São Paulo e fui conversar com ele. "Volto só em fevereiro", ele avisou. "Nada como ser rico e não precisar trabalhar!", brinquei. Ao que ele respondeu: "Nada como não precisar jantar fora em restaurantes sofisticados, nada como não precisar fazer viagens caras!". Sorri concordando.

Fiquei pensando em como criamos vontades desnecessárias e esquecemos o principal. Como diziam os Beatles: *All you need is love*.

Tudo o que precisamos é amar e ser amados. O que vem depois é simplesmente acessório.

Espero que estas minhas palavras ajudem você cada vez mais a ser feliz com as pessoas que ama.

E que tenha tanto amor no coração a ponto de não precisar que os outros digam que você é importante.

Ciladas afetivas

Eu machuco, tu machucas, ele machuca

A cada dia que passa, fico mais chocado com a quantidade de pessoas que se amam e que se valorizam, mas que vivem se machucando.

Parece até que as pessoas acham que gostar ou admirar alguém dá o direito de ferir o outro.

Eu me lembro de uma professora que tive no mestrado em psicologia. Ela me perseguiu por vários anos, mas sempre justificava: "Pego no seu pé porque admiro muito você". Mas será que é preciso ser assim? Será mesmo necessário torturar as pessoas que admiramos?

Isso também acontece nas famílias. Parentes queridos se machucam por acreditar que o amor é tanto que o outro aguentará tudo! Quer a verdade? Não aguenta. Mesmo quem aparenta ser uma fortaleza tem seus pontos fracos, seu calcanhar de aquiles. Na mitologia grega, Aquiles era um guerreiro poderoso, porém *quase* invencível, pois tinha um ponto fraco: o calcanhar. Ninguém conseguia combatê-lo, mas um dia ele foi finalmente vencido quando uma flecha envenenada o atingiu no calcanhar, que era seu ponto vulnerável.

O mundo é formado por muitos Aquiles modernos, que suportam quase tudo, mas desmoronam quando seu ponto fraco é tocado:

- A mulher guerreira capaz de virar noites para entregar um projeto, mas que desmonta aos prantos quando a mãe a acusa de ser omissa com os filhos.
- O jovem lutador capaz de trabalhar pesado durante o dia, fazer faculdade à noite e cuidar do pai que está internado, mas que se abala quando o chefe tem um ataque de fúria por algo que não deu certo.
- O homem batalhador que faz pose de durão e que parece suportar qualquer problema no trabalho, mas que desaba quando o irmão o cutuca por ele não conseguir ganhar um elogio do pai por suas realizações.

Talvez, exatamente no dia de hoje, você esteja sofrendo por causa de uma discussão com alguém querido: seu filho, seu chefe, uma amiga de infância, seu namorado... Qual é a base dessa discussão?

Certamente, um apertou o ponto fraco do outro. Tocou o calcanhar de aquiles. O mecanismo que começa uma discussão costuma ser assim: geralmente, no começo da conversa, ambos precisam provar que são importantes. Em seguida, começam a discussão e um toca o ponto fraco do outro, que desaba, e o embate nunca acaba bem. Os dois saem da briga sentindo-se traídos, desvalorizados. No final, um quer estar o mais longe possível do outro.

A verdade é que as pessoas se deixam machucar porque são carentes de afeto e de reconhecimento, e esse é seu calcanhar de aquiles. Essas carências em geral têm origem lá atrás, na infância. E há pessoas que passam a vida tentando receber o que faltou quando eram crianças.

A carência afetiva é uma das questões mais difíceis de ser resolvida. Necessidade material se resolve com dinheiro, mas a tristeza de não ter sido amada pelo pai geralmente não é resolvida pelo amor do namorado.

Um dia desses escutei de uma gerente financeira de uma grande empresa: "Já tive muitos namorados que me amaram, mas tenho a sensação de que ainda procuro o que não recebi do meu pai".

Se você quiser parar de machucar os outros e parar de ser machucado por eles é fundamental que diminua a sede de amor e de reconhecimento que está instalada silenciosamente em seu coração. Ninguém vai conseguir fazer esse trabalho por você.

Se esperar que o outro livre você de sua dor, solidão ou medo e traga sua felicidade de presente, sua carência só aumentará.

O vazio da alma

Sabe por que você fica angustiado mesmo nos momentos em que sua vida está indo muito bem? Por causa da carência afetiva.

A carência é a sensação de vazio existencial que se manifesta como tristeza contínua, insegurança, desânimo ou irritabilidade e que provoca a tentativa impulsiva de resolvê-la com outras pessoas, com bens materiais ou reconhecimento.

A maioria das pessoas faz loucuras na tentativa de anestesiar a dor da solidão ou os buracos da alma que a carência deixa.

Tentar tapá-los com compras, sexo, drogas, comida ou qualquer outra coisa não funciona.

No começo você até se sente suavemente saciado, mas no momento seguinte seu problema aumenta ainda mais, fazendo com que você entre em um círculo vicioso sem fim.

Falta de amor se resolve com amor, e não com compras, sexo, drogas ou dinheiro. Isso só aumenta o problema! Uma carência não se resolve com rapidez. Soluções impulsivas também potencializam o problema.

Outro dia ouvi uma história sobre carência que é engraçada, mas reflete bem como se sentem as pessoas com essa dor. Um conhecido meu falou que tinha uma amiga tão carente, mas tão carente, que se ela estivesse jogando futebol e o juiz falasse: "Você fez falta", ela dava um abraço nele!

Você pode estar querendo me perguntar nesse momento: Roberto, mas como eu sei que estou carente, precisando me sentir importante?

Há diversos sinais que indicam que você pode estar com a síndrome da carência afetiva: tristeza profunda sem causa aparente, doenças frequentes, repetição de conflitos nos relacionamentos pessoais, afetivos, familiares e/ou profissionais, irritabilidade, agressividade, isolamento permanente, necessidade excessiva de agradar, de ser reconhecido e aprovado, insegurança permanente e autoestima baixa.

A soma de alguns desses sintomas pode ser uma bela pista para começar a olhar para dentro de si mesmo e descobrir o que está fora do eixo. Ao analisar esses sinais, vai perceber que o mundo é resultado daquilo que está dentro de você.

Um exemplo: você acha que foi magoado por alguém e descobre que, na verdade, só sentiu mágoa porque as palavras dessa pessoa atingiram uma fraqueza sua. O mesmo acontece quando

A CARÍCIA ESSENCIAL

você diz algo e, sem intenção, acabando ofendendo alguém. Sem perceber, você disparou alguma fragilidade nos sentimentos daquela pessoa.

Não caia na conversa de manipuladores

Se você tem um vazio provocado por uma carência pode se sentir bem temporariamente, quando ele é preenchido com qualquer conteúdo. Mas isso é um perigo. Faz de você presa fácil de manipuladores.

Sabe aquela situação em que você se sente bem com as palavras de alguém, pois a mensagem amenizou uma fraqueza que há no seu coração? É justamente nessa hora que abriu espaço para o manipulador.

Quem é mestre em relacionamentos sabe acalmar nossas fragilidades todo o tempo. E, infelizmente, algumas pessoas usam esse conhecimento em causa própria, e não com a intenção de ajudar o outro. Utilizam com o objetivo de conseguir um benefício para elas mesmas.

Certos vendedores são especialistas em usar a frase certa que faz o outro se sentir bem e comprar. Imagine uma alta executiva excelente profissionalmente, mas insegura em relação à sua beleza. Quando ela experimenta um vestido em uma loja e ouve do vendedor "Você ficou linda", tende a acreditar no elogio. Mesmo que não seja verdade.

Imagine agora uma mulher que é insegura em relação à sua capacidade de conquistar o sexo oposto. Quando ela escuta um elogio do tipo "Nenhum homem resiste a você", cai na rede do conquistador facilmente.

Aliás, conquistadores baratos sabem que um elogio certeiro pode levar uma mulher carente para a cama. E a moça que cai na lábia desse tipo de homem acaba se sentindo ainda mais carente no dia seguinte. Pode ser que fique ainda mais descrente do amor.

Há também muitas mulheres que usam sua conversa sedutora e sabem manipular muito bem os homens e encontrar alvos fáceis. Fazem alguns elogios, encontram o ponto vulnerável, seduzem e deixam suas presas fáceis caídas aos seus pés, indefesas e prontas para fazer tudo o que elas desejam.

Às vezes, um decote sedutor, uma fenda indiscreta, uma transparência a mais e a conversa perfeita com palavras doces e moles e pedidos sutis hipnotizam até o mais poderoso dos homens. E as aproveitadoras se sentem poderosas fazendo-os de gato e sapato, explorando-os, manipulando-os e até jogando sujo para conseguir o que querem.

Um recado para os "Don Juans" e para as "Donas Juanas": no fundo, a sede de conquista também é carência afetiva. Conquistadores típicos acham que precisam de sexo e sedução. Muito sexo e sedução. Insistem em cada vez mais conquistas, mas continuam sentido um vazio. Eles não enxergam que só enganam sua carência com o alimento errado. É como se tivessem fome de sal, mas só comessem açúcar.

E aqui vale um alerta: não confunda carência afetiva com carência sexual. Há muitos casais que se relacionam muito bem sexualmente, só que a amizade, o amor e a cumplicidade entre eles nunca aconteceu. São exatamente esses os casais que terminam separados, pois é muito mais trabalhoso alimentar a amizade e a cumplicidade entre um casal do que manter acesa a chama da paixão. E qualquer quantidade de sexo nunca preencherá a necessidade que ambos têm de atenção, reconhecimento e consideração mútua.

Cuide bem dos seus sentimentos para não entrar no jogo dos manipuladores e nem ser presa fácil deles. E faça isso para evitar a qualquer custo cair em dependência afetiva, pois isso pode resultar em pessoas que se destroem, mas que ficam juntas. São aquelas que vivem relacionamentos que causam mais dor e sofrimento que prazer, mas dos quais é muito difícil sair, por causa da dependência gerada pela carência.

Não transforme carência em erro

A carência afetiva pode fazer com que você mantenha certos amigos para não ficar sozinho, tenha um relacionamento destrutivo só porque aquela pessoa lhe dá atenção, escolha uma profissão que não tenha nada a ver com você só porque um professor entende seus problemas e isso faz com que queira ficar perto dele.

Por causa exatamente disso que descrevi, eu quase me tornei um filósofo. No colégio em Santos, tive um professor de filosofia chamado Itagiba. Ele ocupou um lugar de pai na minha adolescência rebelde e eu queria fazer de tudo para me aproximar dele. Virei o melhor aluno de sua disciplina, lia muitos livros de filosofia. Até que um dia ele me falou: "Roberto, você não precisa se tornar um filósofo para estarmos perto um do outro!".

Ele me acordou. Fui tratar de ser médico! Da mesma maneira que sua amizade me estimulou a estudar e trilhar o caminho certo para mim, poderia ter me instigado a seguir a rota errada. E mesmo que eu seguisse, imaginando que deveria ser filósofo só para agradar o professor, uma hora eu me daria conta do erro. Mas será que eu teria maturidade para dizer: "Estudei filosofia porque achei que você cuidaria da minha carência afetiva?". Certamente não.

Provavelmente jogaria a culpa nele:

- "Você só me critica."
- "Você não me entende."
- "Você não me ajuda na minha carreira."
- "Você me desapontou."

Lembre-se bem dessas frases. Elas sempre são usadas por pessoas que se iludiram por achar que alguém resolveria suas carências. Ninguém pode suprir suas carências a não ser você mesmo.

Não importa quanto amor receba de outra pessoa, ela não poderá curar suas antigas feridas e mágoas. A carência só será resolvida quando aprender a se amar e cuidar bem de si mesmo.

Cuidado com as dependências afetivas

O medo da solidão faz com que a gente aceite qualquer tipo de atenção. Como falei anteriormente, ficar sozinho é uma das coisas mais complicadas para o ser humano. Um jovem universitário que conheci vivia dizendo: "Nunca consigo ficar sozinho. Quando fico sozinho, sinto-me como se estivesse sendo abandonado".

Quer saber por que ele preferia viver rodeado de gente? Porque é mais fácil estruturar relacionamentos com pessoas que nos machucam do que ficar sozinho e administrar os próprios monstros.

Então você prefere aguentar aquela amiga que só joga você para baixo, o cunhado que sempre tira sarro de você, o sócio que vive lhe causando problemas, aquele amigo inconveniente que bebe todas, mas que parece ser sua única companhia para sair, e o sogro que humilha você nos almoços.

Você fica com alguém para receber algum tipo de atenção, ainda que essa atenção seja destrutiva. Esses são sintomas de pessoas que sentem necessidade de mostrar o quanto são úteis e importantes, em uma busca inconsciente de amor, porque na verdade não se amam e não se conhecem.

Fazer isso é como imitar aquele rapaz que, de tão carente, quando se hospeda em um hotel pensa em colocar na porta: "Por favor, perturbe!".

Quando estão sozinhas, muitas pessoas se sentem abandonadas. Mas o pior abandono é aquele que fazemos conosco. Já parou para pensar que você mesmo pode ter se abandonado? Isso aconteceu quando você parou de dar o alimento para sua alma e se preocupou apenas em ter e acumular coisas.

Você parou de se aproximar de você mesmo, deixou de conversar com você e de identificar seus sentimentos. Esqueceu-se de perguntar: "O que estou sentindo?". E parou de ouvir a resposta.

A solução começará a aparecer quando você passar a se aceitar e cuidar de si próprio. E quando passar a buscar o alimento para a alma.

E qual é esse alimento, Roberto?

Tudo começa com o reconhecimento. Todos nós precisamos nos sentir importantes. Na linguagem da Análise Transacional, chamamos esse reconhecimento de Carícia.

Todos os seres humanos precisam de Carícias. Dar e receber Carícias é o que nos faz demonstrar que amamos e nos faz sentir que somos amados.

Se você quiser melhorar um relacionamento e se livrar dos comportamentos destrutivos, precisará entender qual é a dinâmica das Carícias dessa relação. Então, vamos mergulhar no mundo das Carícias.

Carências e Carícias

Era uma vez um rei que queria saber qual seria a linguagem natural falada pelos seres humanos quando não influenciados pela linguagem que falavam os outros.

Então, separou um grupo de recém-nascidos e confinou-os em um lugar onde tivessem os cuidados necessários à sobrevivência, mas não tivessem contato com as outras pessoas.

Sabe o que aconteceu com essas crianças?

Morreram.

Morreram por falta de estímulos. Ou por falta de Carícias.

A Carícia é a unidade do reconhecimento humano. As pessoas demonstram que se reconhecem, que se importam umas com as outras, por intermédio da troca de Carícias. Carícias são vitais. São estímulos necessários à vida.

Se você se lembrar, vai perceber o incômodo que sente quando chega ao trabalho e um colega querido nem olha para sua cara. Por que isso magoa? Faltou uma Carícia. Faltou um simples sinal que mostre alegria em ver sua chegada.

Esse incômodo vai diminuir se essa pessoa reclamar que você está atrasado.
Nós precisamos nos sentir reconhecidos. Por isso, dizemos que um beijo é melhor do que um tapa, mas um tapa é melhor do que a indiferença.
A indiferença é mortal.
Quando uma pessoa se sente ignorada, é capaz de fazer uma bobagem para receber atenção. Mesmo que vá contra a própria vontade. Talvez neste momento você não coloque a carga máxima de energia em um projeto, porque não se sente importante para a empresa. Parece estranho?
Na verdade é, mas uma série de pesquisas mostra que é assim que os animais (não somente os humanos) reagem. Um ser humano que não recebe Carícias vai sentir um vazio e pode ter vários problemas físicos e psicológicos. Isso é comprovado cientificamente, como é mostrado nos exemplos a seguir.

Me dê um afago...

O pesquisador Harry F. Harlow, em seu artigo Amor em filhotes de macacos, mostrou que não é apenas você que às vezes tem necessidade de um abraço, de um carinho ou de alguém que o pegue no colo.

Ele relata uma experiência com macacos recém-nascidos que o levou à conclusão de que "a estimulação tátil é tão importante quanto o alimento no desenvolvimento dos comportamentos".

Na experiência de Harlow, os macaquinhos foram colocados diante de duas mães substitutas, uma feita de pano, outra de arame. Os filhotes afeiçoaram-se à mãe de pano, embora a mamadeira estivesse no peito da mãe de arame. Eles apenas saciavam a fome e logo depois voltavam para a mãe de pano.

Quando algo que representava um estímulo que produzia medo era colocado na gaiola, os macaquinhos também corriam para a mãe de pano. Junto dela, sentiam-se mais seguros para arriscar-se e para explorar o meio ambiente, mesmo na presença do estímulo de medo.

Na mesma experiência, Harlow observou que os macacos criados em solidão apresentaram quadros graves de comportamento: evitavam todo contato social, pareciam sempre amedrontados e tinham uma postura de encolhimento e de abraçar a si mesmos. Se o período de isolamento durasse mais um ano, a situação se tornaria irreversível.

Portanto, a estimulação tátil, além de significar uma troca gostosa e de propiciar sensações de proteção e segurança, fornece material para o indivíduo criar uma identidade.

Todos nós precisamos de alguém querido do nosso lado e que preste atenção em nós.

Qualquer afago...

Qualquer forma de estímulo leva o indivíduo a perceber-se vivo. Qualquer estímulo, ainda que negativo, é melhor que o abandono. Ele serve como fator de equilíbrio da pessoa, ainda que por vezes instável. Outra experiência, desta vez com ratos, feita pelo pesquisador Seymour Levine prova isso.

Para realizar o teste, Levine separou os ratos em três grupos: o primeiro foi colocado em uma gaiola e submetido a choques elétricos, todos os dias, na mesma hora, durante certo tempo. O segundo grupo também foi posto na gaiola todos os dias, na mesma hora, pelo mesmo período de tempo, com a diferença de que não recebia choques. O último grupo foi deixado na gaiola permanentemente sem ser manuseado.

Para surpresa do pesquisador, no final da experiência, não havia grande diferença no comportamento dos dois primeiros grupos. Mas o terceiro, que não havia recebido nenhum estímulo, agia de forma diversa.

Quando colocados em ambientes estranhos, causadores de tensão, os ratinhos do terceiro grupo agachavam-se no canto da caixa, amedrontados e sem nenhuma curiosidade de explorar o lugar. Os ratos do primeiro grupo, que estavam habituados à tensão (choque elétrico), exploravam o ambiente, da mesma forma que os animais do segundo grupo, que não tinham recebido choques.

A estimulação positiva ou negativa, como nos mostra Levine, acelera o funcionamento do sistema glandular suprarrenal, que desempenha papel importantíssimo no comportamento dos animais adultos. Os animais manipulados abrem os olhos mais cedo, desenvolvem a coordenação motora em pouco tempo, tendem a ser significativamente mais pesados ao desmamar e apresentam pelos que crescem com mais rapidez. Têm, ainda, maior resistência a uma injeção de células de leucemia, por um tempo mais longo.

Todos nós somos capazes de fazer bobagem para ter alguém do nosso lado, mesmo que essa pessoa nos faça sofrer.

Senão eu morro...

Se você não recebe estímulo de nenhum tipo, vai ficando apático, sem vida. O pesquisador francês René Spitz estudou o comportamento de crianças colocadas em instituições durante o primeiro ano de vida.

Aquelas que não tinham oportunidade de interagir com os adultos, mesmo recebendo alimentos e remédios quando doentes, apresentavam, depois de seis meses, reflexos diminuídos e retardados, como se não percebessem o que estava acontecendo ao seu redor.

Em média, esses bebês apresentaram um retardo grande de linguagem e dificuldades na exploração do mundo. Quando frustrados, não reagiam, atuavam passivamente, como que conformados com a situação.

Outras experiências foram realizadas, demonstrando como esse tipo de situação pode levar o indivíduo a um quadro psicótico e também a uma doença chamada marasmo.

Existem outras pesquisas revelando que crianças sem estimulação sensorial desenvolvem um quadro de retardamento mental.

O isolamento é uma das maiores dores a que podemos ser submetidos.

Me dê um minuto de atenção, por favor

Nós precisamos de estímulos, de atenção, de reconhecimento e de nos sentirmos importantes. Em resumo, necessitamos de Carícias. Por isso, quando não recebemos as Carícias necessárias em quantidade ou qualidade, nos sentimos carentes.

Em nossa infância, soubemos buscar as coisas de que precisávamos, mesmo que de uma forma inconsciente. Todo ser humano nasce com a capacidade de procurar aquilo de que precisa. Isso é verdadeiro tanto para coisas concretas, como alimento, quanto para coisas abstratas, como estímulos. Com o tempo, muitas pessoas perdem a capacidade de buscar o verdadeiro amor.

Em lugares onde não há assistência médica, a criança quando está com anemia come terra. E ela não come qualquer terra, mas leva à boca apenas a que tem ferro, que é do que ela precisa. Quando o pai vê o filho fazendo isso, já deduz que ele está com lombrigas, pois é um verme que costuma consumir o ferro do organismo.

Você já deve ter ouvido sua mãe ou avó falar que no interior as mulheres grávidas comiam a casca ou a pintura da parede. O feto consome muito do cálcio do organismo da mãe e, no interior, em geral, as casas eram caiadas, ou seja, pintadas com cal e ricas em cálcio.

No lado psicológico, acontece o mesmo processo. Os astronautas são treinados em câmaras antigravitacionais sem nenhum estímulo. Por quê? Para treinarem a capacidade de se manter lúcidos naquela situação adversa, para se preservarem inteiros e não enlouquecer quando ficarem sozinhos no espaço, limitados dentro de uma nave e sem estímulos.

Poucos são os homens que podem resistir durante 48 horas sem nenhum tipo de estímulo. Os torturadores sabem disso. Uma das maneiras mais eficazes de conseguir que alguém confesse algo (verdadeiro ou não) é isolar a pessoa. As "solitárias" amedrontam até os mais experientes delinquentes. Um local fechado, sem nenhum contato humano, pode levar o indivíduo à loucura.

Quando criança, você sabe pedir a Carícia de que precisa: amor, carinho, respeito. Quando os pedidos são em vão, a certa altura abrimos mão de pedir as Carícias de que precisamos e começamos a lutar para ter as Carícias disponíveis no ambiente, como faz a criança que come terra e a grávida que come a casca da parede.

Se os pais não sabem dar as Carícias que o filho pede, ele vai perdendo a naturalidade e começa a se acostumar a pedir somente as Carícias que estão disponíveis, ou seja, as Carícias que os pais costumam dar.

Por exemplo, a criança precisa de elogios por fazer as coisas benfeitas, mas a mãe é muito controladora e fica o tempo todo mostrando que o filho está sempre errado. Essa criança vai aprender a agir de maneira errada para conseguir que a mãe lhe dê as Carícias que sabe dar, ou seja, as Carícias de correção.

Na juventude, as coisas tornam-se mais complexas. Sem saber o que fazer com uma necessidade de Carícias que não compreende, a maior parte dos jovens se envolve em feitos ilícitos, que desafiam a lei, as autoridades e a sociedade como um todo. São jovens em geral que na infância sofreram com a falta de capacidade de amar, a indiferença, a frieza e as atitudes egoístas de seus pais.

Há muitos exemplos de jovens celebridades que constantemente são notícia por algum escândalo ou problema. Lindsay Lohan, jovem e famosa atriz, enfrentou problemas com a justiça quando foi detida por dirigir embriagada. Enquanto ainda estava em liberdade condicional, voltou aos tribunais acusada de roubar um colar numa joalheria em Los Angeles. Como se não bastasse, violou a condicional e foi para a prisão.

Fazendo uma loucura atrás da outra, Lindsay apareceu na mídia nos últimos tempos mais por seus deslizes do que por sua qualidade de atriz. O que pode tê-la levado a isso? Possivelmente uma grande carência afetiva não resolvida.

Sua indiferença pode machucar muito a pessoa que você ama. Sei que você tem muitos afazeres. Sua agenda deve estar tão lotada quanto a minha. Mas é importante você encontrar uma forma de ajudar as pessoas que você ama a se sentir importantes.

Para as crianças, assim como para os jovens e os adultos, é muito difícil aguentar a indiferença de pessoas queridas ou importantes. Essa situação leva a uma dolorosa sensação de rejeição e inadequação, e geralmente nos induz a fazer qualquer coisa para não entrar em contato com ela.

É o caso do filho ou da filha que não falam, mas clamam: "Papai, você vai prestar atenção em mim, nem que eu tenha de..."

- ser o melhor aluno da classe à custa de viver angustiado;
- ser o pior aluno da classe, o bagunceiro;
- ganhar sempre ou perder sempre;
- ficar doente (ou nunca ficar doente);
- trocar de namorada (ou de namorado) o tempo todo;
- ser inseguro.

É como a filha ou o filho que em seu silêncio suplicam: "Mamãe, você vai prestar atenção em mim, nem que eu tenha de...".

- brigar com você todas as semanas;
- cuidar de você por toda a minha vida;
- estar sempre alegre (ou triste, ou infeliz);
- ter sempre problemas em meu casamento;
- ficar deprimida, zangada ou desvalida;
- ficar solteira.

Frequentemente, por características de personalidade ou de estilo de vida, os pais não dispensam a atenção necessária aos filhos ou não dão o tipo específico de atenção que eles querem receber. Por exemplo: a criança pode ter recebido muito apoio financeiro, mas queria o pai brincando com ela.

É o caso da história de Jorge, um grande empresário que, na infância, passou fome e frio. Era o caçula de oito filhos e ficou órfão de pai muito cedo. Sua mãe teve de sustentar a família como pôde. Jorge trabalhou como engraxate, entregando jornais, levando mercadorias para os empórios, fazendo carreto nas feiras-livres, lavando vidros nas farmácias.

Com o tempo, foi ganhando experiência e conseguindo trabalhos melhores. Era balconista de farmácia quando conheceu Dora. Apaixonaram-se, namoraram e casaram. Jorge prometeu para Dora: "Nossos filhos não vão passar necessidade como eu passei. Eles vão ter tudo do melhor...".

E assim Jorge batalhou para cumprir o que prometeu. Sua dedicação, sua clareza de propósito e sua determinação deram resultados. Deu casa, comida, conforto, escola, regalias e estabilidade financeira para os filhos e a esposa.

Mas o preço foi alto: Jorge trabalhava mais de 10 horas todos os dias. Só folgava no dia de ano-novo. Dava viagens espetaculares para a família, mas nunca estava junto nelas. Os filhos sentiam falta dele, a esposa sentia falta dele. Ninguém achava que era amado por ele. Os filhos pensavam que estavam em segundo plano na vida de Jorge, que o dinheiro era mais importante para ele.

Como Jorge não sabia dar amor, apenas dinheiro, os filhos aprenderam a pedir a ele coisas que o dinheiro podia comprar. Eram essas as Carícias que podiam receber do pai. Quando percebeu que só o procuravam para pedir coisas materiais, Jorge ficou desapontado. Ele queria amor, queria que os filhos dessem uma coisa que não receberam dele.

Se você tem o estilo de vida do Jorge, é hora de aprender a curtir a vida sem trabalhar como um fanático. Dê um tempo para sua família e descubra como é uma pessoa querida. Se percebe que seu pai ou sua mãe age como Jorge, é hora de parar de pedir dinheiro para eles e demonstrar mais o seu amor verdadeiro.

SEM ATENÇÃO VOCÊ MORRE

Não receber Carícias, dizia Eric Berne, faz secar a espinha do indivíduo. Para evitar essa angústia, surgem condutas para romper a indiferença.

São aquelas viúvas, ou divorciadas, ou casadas com filhos já adultos que viveram para o casamento e para as crianças, mas que acabam sem motivação quando ficam sozinhas. As rugas marcam com rapidez seu rosto, o corpo encurva-se para frente, desistem de se vestir bem, param de cozinhar, de cuidar da casa e de si mesmas. Ficam deprimidas, superirritadas, frequentemente perdem a razão de viver e esperam a morte. Mesmo que o casamento tenha sido uma catástrofe e só existissem problemas, esses problemas eram seus estímulos!

Para ter estímulos, muitos casais preferem um casamento complicado a uma união apenas "agradável". Pais e mães interferem no casamento dos filhos por medo de perder a fonte de estímulos que são os filhos. Brigas constantes são melhores que visitas esporádicas, pois as brigas fornecem estímulos e rendem material para reclamar do marido ou da esposa depois. É como aquela piada do casal:

> Um homem chega em casa depois de um duro dia de trabalho, senta na poltrona em frente à televisão e diz à mulher: "Traga-me uma cerveja antes que comece". A mulher suspira e traz a cerveja. Dez minutos depois ele diz: "Traga-me outra cerveja antes que comece". Ela olha atravessado para o marido, mas traz outra cerveja e a sacode perto do marido. Ele termina mais essa cerveja e alguns minutos depois diz: "Rápido, traga-me outra cerveja que vai começar a qualquer instante". A esposa fica furiosa e começa a berrar com o marido: "Isso é tudo o que você vai fazer hoje à noite? Beber cerveja e ficar sentado em frente à televisão? Você não passa de um preguiçoso, bêbado, um gordo relaxado! E além disso...". Antes de ela terminar a frase, o marido levanta os olhos para ela e diz: "Pronto, começou...".

As pessoas sempre procuram se sentir importantes. É o caso de um tocador de sanfona, ex-alcoólatra, que bebia sem parar durante as festas juninas e precisou ser internado para tratamento diversas vezes. Em uma dessas internações, houve uma festa junina no hospital e ele foi uma das atrações. Ele foi melhorando,

melhorando e recebeu muita atenção e, na semana seguinte, melhorou consideravelmente e pôde ir embora.

Ficou muito tempo sem aparecer, mas, no ano seguinte, em junho, teve uma recaída. Um médico percebeu, então, por que ele voltava ao hospital nessa época. Queria receber estímulos por tocar sanfona. E achava que só ficando doente é que teria a oportunidade. O médico ligou para ele e convidou-o para tocar todos os anos na festa. Com a Carícia certa recebida, ele não precisou mais de recaídas.

As pessoas necessitam de atenção, nem que tenham de ficar doentes. E isso é muito claro na história de uma mulher que teve o seio extraído em razão de um câncer. Depois de algum tempo, resolveu fazer uma cirurgia plástica reconstrutora. O resultado cirúrgico foi ótimo. Mas, alguns meses depois, surpreendentemente, ela procurou o cirurgião para retirar o seio reconstituído. Alegava que ele só tinha lhe causado problemas, que havia desenvolvido uma depressão, com pensamentos suicidas muito fortes, que tivera alucinações e fora internada num hospital psiquiátrico. Além disso, ela, que sempre gostara de ter uma casa organizada, deixara de cuidar de si e da casa, irritando-se com tudo.

O que tinha acontecido? Antes da cirurgia, essa mulher recebia muita atenção por ser "doente". Com o sucesso da operação, a família e os amigos começaram a lhe dar menos atenção, já que ela não era mais "doente". O marido aceitou um trabalho novo em outra cidade, o filho predileto saíra de casa para morar sozinho e as amigas deixaram de procurá-la para saber do "problema".

Essa mulher tinha fome de afeto. Foi fundamental a família saber disso para ajudá-la a superar o problema e aprender a receber atenção por outras atitudes. Como consequência, desistiu de fazer nova cirurgia e quis continuar com o seio reconstituído.

Às vezes, essas condutas são passageiras, eventuais (como ter um problema escolar). Outras vezes, eternizam-se: o indivíduo torna-se, por exemplo, um fracassado profissional. A ideia básica é: aceito fazer qualquer coisa, mas você tem de prestar atenção em mim!

Meu filho tinha um amigo na escola que era filho do vice-presidente de um grande banco e de uma grande empresária. Os pais eram profissionais muito competentes, ganhavam rios de dinheiro e viviam envolvidos com seu trabalho.

O garoto, apesar de inteligente, ia muito mal nos estudos. Vivia trocando de escola e não se adaptava a nenhuma delas. Foi reprovado duas vezes. Sabe em que momentos ele tinha um pouco mais de atenção dos pais? Quando eles eram chamados pela escola para conversar sobre seu fraco rendimento.

A atitude daquele garoto tinha o seguinte recado: "Vocês vão ter de me dar algum tempo, alguma atenção, nem que para isso eu tenha de ir mal na escola".

Se uma criança não receber as Carícias positivas de que necessita, começará a experimentar outras condutas até descobrir aquelas que os pais valorizam. Poderá passar a ficar doente, a fim de receber Carícias de lástima, ou ser "boazinha" eternamente, ou se tornar rebelde. Essa criança aprenderá a manipular o ambiente para conseguir a atenção necessária, baseada em dois fatores: o que a família valoriza e como os outros procuram manipulá-la.

E você? O que você fazia quando criança para receber a atenção dos seus pais? E hoje, o que faz para receber a atenção das pessoas?

O mundo das Carícias

Cada vez que alguém reconhece a existência da outra pessoa, dizemos que está dando uma Carícia a ela:

- Quando um amigo telefona para você só para saber como vão as coisas, é uma Carícia.
- Quando um fã envia um e-mail para seu artista predileto, também é uma Carícia.
- Quando um amigo curte seu comentário nas redes sociais, também é uma Carícia.
- Quando o chefe elogia o seu vendedor na frente da equipe, está dando uma Carícia positiva.
- Quando o chefe critica esse mesmo profissional, está dando uma Carícia negativa.
- Quando o pai grita com o filho, também é uma Carícia, mas negativa.

Carícias positivas

Carícias positivas são aquelas que fazem a gente se sentir bem. Imagine o que faz você se sentir muito amado: essas são as Carícias positivas.

Elas são melhores que comer manga apanhada da árvore na hora. São gestos de carinho, como a mãe que nina o filho no colo, ou o pai que troca as fraldas de seu filhinho. Elas vêm na forma de palavras doces:

- "Olá, que bom que você veio!"
- "Gostei desse seu desenho!"
- "Esta flor é para você!"
- "Vem cá pra gente conversar."
- "Vamos sair hoje à noite?"

Carícias positivas são boas como abraço de irmão, de namorado, de amante. Beijo no rosto, na boca ou no ar atirado com muito carinho. Gente se olhando nos olhos, com olhar cristalino, como água de pedra.

- "Alô, liguei para dizer que estou com saudades de você."
- "Amanhã eu te procuro de novo."
- "Quero um tempo só para nós dois."
- "Eu te amo."

Gestos, palavras de vida. Toneladas de vezes mais potentes que um *tsunami*.

Um elogio vindo do coração é muito mais gostoso que banho quente, depois de uma chuva fria de inverno, ou um banho de mar espumante no calor do verão.

Sensação de que existe um coração pulsante dentro da gente.

Sensação de que a gente é um coração pulsante dentro do outro.
Sensação de gente vivendo com gente.
São as Carícias positivas.

Carícias negativas

Carícias negativas são aquelas que fazem a gente se sentir mal. Doem como picada de abelha ou mordida de cachorro. São, sim, um tipo de atenção, mas daquele tipo que machuca você.

As Carícias negativas podem ser agressivas, causar dor. São como pancada no corpo.

- "Você faz tudo errado!"
- "Não gosto de você!"
- "Suma daqui!"

Ou podem ser Carícias de lástima. Provocam uma sensação de desvalorização. Baixam sua autoestima.

- "Coitadinho!"
- "Ele não é tão inteligente quanto a irmã."
- "Ela é tão azarada."

É um olhar de pouco caso ou de crítica. O menosprezo na dor ou na alegria. Tapa na cara com as mãos ou com a boca.

Alimento precário, mas que mantém vivo. É comer água com farinha a vida inteira.

Pense bem: você tem a tendência a dar e a receber mais Carícias positivas ou negativas?

Carícias incondicionais

As Carícias incondicionais são os reconhecimentos pelo que a pessoa é, independentemente do que ela faz. Entender as Carícias incondicionais é importante porque elas são muito poderosas para o bem ou para o mal. Por isso, dizemos que há Carícias incondicionais positivas e negativas.

As Carícias incondicionais positivas são elogios que você recebe sem pedir, sem fazer nada. São pequenos gestos que definem o prazer de estar junto a alguém: olhar nos olhos com ternura; um sorriso de alegria quando você chega; um abraço de carinho.

São também palavras de agradecimento, de aceitação. Ajudam a elevar nossa saúde psicológica. Fazem você se sentir valorizado por ser simplesmente quem você é. Nem melhor, nem pior. Assim:

- "Adoro ser seu amigo."
- "Meu filho, depois que você nasceu, minha vida ficou mais plena."
- "Você me faz feliz."

Quando recebe uma Carícia incondicional positiva, você sente que não precisa provar nada, nem para si nem para os outros. As pessoas que nos dão Carícias incondicionais positivas são as que mais nos ajudam a realizar nossas vocações.

Já as Carícias incondicionais negativas fazem você se sentir um fardo, trazem mensagens duras e têm alto poder de destruir a autoestima de uma pessoa.

Ou seja, não importa o que tenha feito, você será sempre o vilão da história. Se você aceitar isso, vai carregar essa sombra para a vida inteira. Você é do mal e pronto! Não há nada que você possa fazer para deixar de se sentir um peso na vida dos outros.

Quando você olha para uma pessoa depressiva, percebe que na infância ela provavelmente recebeu esse tipo de Carícia. Por exemplo:

- "Depois que você nasceu, minha vida virou um inferno."
- "Você destruiu minha vida."

Quando alguém lhe disser uma dessas frases, responda: "Desculpe, mas você é o dono de sua vida. Nem que eu quisesse não teria o poder de fazer isso com você".

Carícias condicionais

As Carícias condicionais são os reconhecimentos pelo que a pessoa faz, benfeito ou malfeito, ou em decorrência de alguma conduta ou realização. Por isso, também podem ser positivas ou negativas, e sempre vêm com um julgamento de valor: isso é bom, isso é mau...

São bastante comuns em ambientes de trabalho, em que você só é valorizado se traz determinado resultado.

As Carícias condicionais positivas mostram que sua conduta está agradando:

- "Eu adoro quando você faz bolo."
- "Parabéns, você foi muito bem na apresentação."
- "Fico feliz com crianças comportadas."
- "Obrigada por me ajudar no trabalho."

As Carícias condicionais negativas mostram que sua conduta não está agradando:

- "Quando você chega atrasado, o trabalho fica prejudicado."
- "Este projeto precisa ser mais bem trabalhado."

As Carícias condicionais negativas são importantes, pois são uma referência do que precisamos fazer para melhorar nossas atitudes, principalmente quando são dadas com respeito e vontade de que o outro evolua.

Hoje, muitas pessoas entram em depressão porque se organizam para receber, em sua vida profissional, a maioria das Carícias condicionais pelo que fazem, mas vivem sem receber Carícias pelo que são (incondicionais) e ficam com a vida vazia.

Por outro lado, há jovens que foram criados quase que exclusivamente com Carícias incondicionais e não aprenderam o prazer de ser elogiados por trabalharem e fazerem o que fazem. Eles também criam vidas vazias.

É importante perceber que os dois tipos de Carícias são necessários. São alimentos ambos bons, mas diferentes. Assim como a comida salgada e a doce. Precisamos dos dois tipos de Carícia.

Existe uma tendência a pensar que as Carícias positivas são sempre boas e que as negativas são sempre más. Isso não é verdade.

Às vezes, uma Carícia negativa é boa. Por exemplo, se a pessoa que está fazendo um trabalho errado receber uma Carícia negativa do tipo: "Não estou gostando do seu desempenho", ela terá a chance de refletir e empreender as mudanças que achar convenientes.

Às vezes, uma Carícia positiva é ruim. Por exemplo, se você elogia o trabalho de alguém quando o serviço não está bom, acaba estimulando algo que será prejudicial.

Ou então dá um elogio por uma conduta indesejada, como festejar por uma pessoa aguentar beber muito.

Ou quando alguém elogia você por trabalhar o tempo todo sem dar tempo para a família...

Aproveite e reflita: você tem tendência a receber mais Carícias incondicionais ou condicionais? Você tem tendência a dar mais Carícias incondicionais ou condicionais?

Carícias adequadas e inadequadas

As Carícias adequadas são aquelas que nos ajudam a crescer, que nos fornecem meios de desenvolvimento, mesmo que não sejam doces.

A Carícia adequada dá uma referência da qualidade da ação da outra pessoa. Vem de um chefe bacana, de uma amiga verdadeira, de alguém que realmente quer o melhor para você.

- "É importante aprimorar esse projeto."
- "Faça um curso de especialização para entender mais dessa área."

Infelizmente, há pessoas que não aceitam críticas, pois querem sempre se sentir o máximo. Com isso, acabam limitando a manifestação dos outros e perdem a chance de aprimorar sua maneira de ser.

As Carícias inadequadas são aquelas que nos tiram do caminho certo. Em vez de ajudar, atrapalham. São aqueles conselhos errados.

- Quando uma moça está apaixonada por um rapaz e a mãe fala que é melhor não se envolver para não sofrer.
- Quando você se veste de maneira inadequada para uma entrevista de emprego: "Essa roupa ficou ótima".

Infelizmente, muita gente elogia quando é para criticar e critica quando é para elogiar. É preciso estar atento para saber o que aproveitar. Cuidado para você não fazer como naquela piada: o marido sai do banho, fica alguns minutos olhando-se no espelho e diz para a mulher: "Estou tão feio, gordo, careca, com orelhas enormes, acabado! Preciso de um elogio...". A esposa então responde: "Sua visão está ótima, querido!".

Então, aproveite para refletir: você tem dado mais Carícias adequadas ou inadequadas? Você sabe identificar quando recebe uma Carícia adequada ou inadequada?

Carícias de plástico

Carícias de plástico são as falsas Carícias. São aquele tipo muito tóxico de Carícias dadas pelos puxa-sacos e manipuladores. As pessoas que dão esse tipo de Carícias não estão interessadas em ajudar você, mas sim em fazer bem a si mesmas.

São chamadas Carícias de plástico porque, a exemplo das flores de plástico, só têm semelhança com as verdadeiras no seu formato.

Do namorado interesseiro que quer que você pague a viagem para ele: "Você é a mulher da minha vida".

Do aluno que só quer passar de ano: "Você é a melhor professora que eu já tive".

Do funcionário que quer uma promoção: "Suas ideias são sempre ótimas, chefe".

Quem recebe esse tipo de Carícia pode se sentir bem por alguns momentos. Mas, depois de algum tempo, vai receber a cobrança pelo elogio. E, provavelmente, será trocado assim que o bajulador descobrir uma pessoa mais interessante para ser usada como "trampolim".

Quem deixa um cargo político, por exemplo, percebe claramente o vazio provocado pelo afastamento dos bajuladores. De uma hora para outra, acabam-se os presentes, os tapinhas nas costas.

As ilusões dos falsos elogios podem ser bonitas, mas não satisfazem as nossas necessidades de relacionamentos verdadeiros e profundos. Raramente, pessoas que agem assim mudam de verdade. Elas simplesmente vão atrás de outras vítimas carentes que aceitem dar o que elas querem.

Cada um é responsável por aceitar ou não esse tipo de Carícia e por criar um ambiente em que as pessoas podem trocar Carícias verdadeiras.

A Carícia essencial

Todos esses tipos de Carícias precisam ser considerados, reconhecidos e usados. Porém, existe um tipo de Carícia especial, que é capaz de realizar uma completa transformação na vida de quem a dá e de quem a recebe: a Carícia essencial.

A Carícia essencial é aquela que consegue curar uma dor incessante, e que é resultado de uma ferida criada lá atrás. É um verdadeiro bálsamo, preciso e fundamental, e de um poder inacreditável.

A Carícia essencial é o estímulo necessário para recuperar um problema que parecia irrecuperável. Vou ilustrar com uma história verdadeira para você entender mais.

Eu conheço uma mulher que é uma superprofissional, uma executiva respeitada e competente. Só que ela tem uma grande ferida em sua alma: ela acha que não é uma boa mãe, pois não consegue estar presente na vida de seus filhos tanto quanto ela gostaria porque trabalha muito.

Essa ferida foi causada por sua própria mãe. Os filhos dessa executiva são cuidados durante o dia por sua mãe, a avó das crianças. Um dia, a mãe dessa profissional falou para ela, no calor de uma discussão: "Você sempre foi uma mãe ausente!".

Esse foi um golpe mortal para aquela mulher. A ferida nunca mais cicatrizou e sangra todos os dias, com muita dor e sofrimento, principalmente quando ela olha para seus filhos e para sua mãe.

Para curar essa ferida, só uma Carícia essencial. Essa Carícia poderia ser dada por sua mãe, mas também poderia vir de qualquer pessoa que tivesse a sensibilidade de reconhecer e conceder uma frase simples e poderosa: "Eu vejo que você se esforça muito, se empenha muito na educação de seus filhos. Você é uma boa mãe, mesmo trabalhando muito!".

É importante saber reconhecer qual é a Carícia essencial necessária às pessoas que você ama. E é vital conhecer a si mesmo para descobrir qual é a Carícia essencial de que você mesmo necessita, e que tem o poder de curar feridas, cessar sofrimentos e inaugurar uma nova fase de luz em sua vida.

Como viver uma vida sem amor

UMA HISTÓRIA DE CARÍCIAS

Era uma vez, há muito tempo, um casal feliz que tinha dois filhos, um menino e uma menina. Naquela época, quando as pessoas nasciam, recebiam um saquinho cheio de carinhos. Por isso, todos tinham seu próprio recipiente de carinhos ao longo da vida.

Sempre que a pessoa punha a mão no saquinho, podia tirar um Carinho Quente. Eles faziam as pessoas se sentirem felizes e protegidas, cheias de aconchego. Quem não recebia Carinhos Quentes se expunha ao perigo de pegar uma doença nas costas que fazia murchar e morrer.

Era fácil receber Carinhos Quentes. Sempre que alguém queria, bastava pedi-los. Colocando-se a mão no saquinho, aparecia um Carinho do tamanho da mão de uma criança. Ao vir à luz, o Carinho expandia-se e transformava-se num grande Carinho Quente, que podia ser colocado no ombro, na cabeça, no colo. Então, misturava-se com a pele e a pessoa se sentia feliz.

A Carícia essencial

As pessoas viviam pedindo Carinhos Quentes umas às outras e nunca havia problemas para consegui-los, pois eram gratuitos. Por isso todos eram felizes e cheios de carinhos, na maior parte do tempo.

Um dia, uma bruxa má percebeu que, sendo felizes, as pessoas não compravam as poções mágicas que ela vendia. Então, inventou um plano malvado. Certa manhã, chegou perto do homem, enquanto sua esposa brincava com sua filha, e cochichou no ouvido dele: "Olhe os carinhos que sua mulher está dando à sua filha. Se continuar assim, ela vai consumir todos os carinhos e não sobrará nenhum para você". O marido ficou surpreso: "Quer dizer então que não é sempre que existe um Carinho Quente no saquinho?" A bruxa respondeu: "Exatamente. Eles podem acabar, e você não os ganhará mais". Disse isso e foi embora, montada em sua vassoura, gargalhando muito.

O marido ficou preocupado. Começou a reparar nos Carinhos Quentes que sua esposa dava às outras pessoas, pois temia perdê-los. E foi se queixar à esposa, de quem gostava muito. Ao mesmo tempo, resolveu parar de dar carinhos aos outros, reservando-os só para ela.

As crianças perceberam e passaram também a economizar carinhos, pois entenderam que era errado andar distribuindo Carinhos Quentes por aí. E todos foram ficando cada vez mais mesquinhos.

O resultado apareceu logo: as pessoas do lugar começaram a se sentir menos aconchegadas. Cada vez mais gente ia à bruxa para adquirir unguentos e poções. Algumas pessoas chegaram até a morrer por falta de Carinhos Quentes. Mas a bruxa não queria realmente que as pessoas morressem, porque, se isso acontecesse, deixariam de comprar as poções e unguentos. Então, inventou um novo plano: todos ganhariam um saquinho muito parecido com o dos Carinhos Quentes, só que conteria Espinhos Frios. Os Espinhos

Frios eram gratuitos e ilimitados, faziam as pessoas se sentirem frias e espetadas, mas evitavam que murchassem.

Daí para frente, sempre que uma pessoa dizia: "Eu quero um Carinho Quente", aqueles que tinham medo de diminuir seu suprimento respondiam: "Não posso dar-lhe um Carinho Quente, mas, se você quiser, cedo-lhe um Espinho Frio".

Com isso, os Carinhos Quentes foram ficando cada vez mais raros e valiosos. As pessoas tentavam de tudo para consegui-los.

Antes do plano da bruxa, as pessoas costumavam reunir-se em grupos de três, quatro, cinco, sem se preocupar com quem estava dando carinho para quem. Depois que a bruxa apareceu, elas começaram a se juntar aos pares e a reservar seus Carinhos Quentes exclusivamente para seus parceiros. Quando se esqueciam e davam um Carinho Quente para outra pessoa, logo se sentiam culpadas. Quem não conseguia encontrar um parceiro generoso precisava trabalhar muito para comprar carinhos.

Algumas pessoas tornavam-se simpáticas e recebiam muitos Carinhos Quentes sem ter de retribuí-los. Então, passavam a vendê-los aos que precisavam. Outras pegavam os Espinhos Frios, cobriam-nos com uma cobertura branquinha e estufada, fazendo-os passar por Carinhos Quentes. Eram, na verdade, carinhos falsos, de plástico, que causavam novas dificuldades. Por exemplo, duas pessoas juntavam-se e trocavam entre si, livremente, seus Carinhos Plásticos. Sentiam-se felizes durante alguns momentos, mas logo em seguida o bem-estar acabava. Como pensavam estar trocando Carinhos Quentes, ficavam confusas.

A situação foi se tornando cada vez mais grave. Até que um dia uma mulher especial chegou ao lugar. Ela nunca tinha ouvido falar da bruxa e não se preocupava com o fim dos Carinhos Quentes. Entregava-os de graça, mesmo quando não eram pedidos. As pessoas do lugar reprovavam a atitude da mulher, pois achavam que ela transmitia às crianças a noção errada de que não deviam se preocupar com a possibilidade de os carinhos acabarem. Chamavam a mulher de Pessoa Especial.

As crianças gostavam muito da Pessoa Especial, porque se sentiam bem em sua presença, e passaram a dar Carinhos Quentes sempre que tinham vontade.

Os adultos ficaram muito preocupados e decidiram impor uma lei para proteger as crianças do desperdício dos Carinhos Quentes. A lei dizia que era crime distribuir Carinhos Quentes sem uma licença. Muitas crianças, porém, continuavam a trocar Carinhos Quentes sempre que tinham vontade ou quando alguém os pedia. Como existiam muitas crianças no lugar, parecia que elas prosseguiriam seu caminho.

Algumas daquelas crianças cresceram e, quando adultas, ainda continuaram espalhando Carinhos Quentes de graça. Mas algumas não.

Aquelas crianças que cresceram se tornaram eu e você. Às vezes, agora como adultos, ainda nos lembramos de como é bom dar e receber Carinhos Quentes, mas às vezes ainda pensamos na lei da bruxa e acreditamos que ela ainda esteja em vigor. Será que você tem medo da bruxa? Ou já é uma Pessoa Especial?

Adaptado do texto original de Claude Steiner.

Há limites para as Carícias?

Fomos condicionados a pensar que não podemos dar Carícias abundantes para as pessoas. Como resultado, há famílias em que há pouca troca de Carícias, casais com medo de dar afeto e muitos ambientes, como escolas e empresas, em que o calor humano raramente aparece.

As pessoas pensam que as Carícias são escassas como o dinheiro no banco. Acreditam que as Carícias são poucas, tão poucas que precisamos poupá-las. Se gastarmos muito, uma hora acaba. Assim como na história, as pessoas passam a economizar Carícias e a escolher a dedo para quem entregá-las. O amor vira moeda de troca. Ninguém mais dá nada a ninguém se não tiver uma contrapartida.

O sexo vira um meio de receber prazer, e as relações ficam consumistas: "Só quero saber de garantir um orgasmo, de ter uma lista de parceiros, de ser elogiado pelo meu desempenho atlético". O outro se torna uma coisa a ser usada para retirar prazer.

A emoção da entrega é substituída pelo medo de ficar sem algo, de ficar vazio. Isso é miséria afetiva. Se as Carícias são em número limitado e podem acabar...

Os professores nas escolas não conseguem dar afeto para os seus alunos.

As famílias ficam em uma eterna cobrança mútua: "Cuidei de você quando era pequena, agora você tem de cuidar de mim". E os relacionamentos afetivos ficam cada vez mais pobres: "Você tem de cuidar de mim hoje... porque na semana passada cuidei de você" ou "Eu vou para a cama com você... se você se casar comigo".

O resultado é mesquinhez de afeto e relacionamentos pobres. Homens e mulheres passam fome de amor, apesar da abundância de amor que existe nas pessoas.

Economizando Carícias

Levamos uma vida pobre em Carícias porque aceitamos ideias pobres que nos são impostas por familiares e amigos, e muitas vezes sem querer. Para começar a mudar essas crenças é preciso conhecer esses pensamentos que nos fazem economizar Carícias:

- *Carícias existem em quantidades limitadas; portanto, economize-as; somente dê Carícias como investimento, sabendo que vai haver retorno!*
É aquele rapaz que só liga para o amigo quando precisa de um favor e nunca pega o telefone com a intenção apenas de saber do outro, sem ganhar nada em troca. Não percebe que terá muito mais vantagens quando não precisar usar atenção como moeda de barganha.
- *Não dê Carícias! Você pode acostumar mal as pessoas!*
É o pai rígido que nunca brinca com os filhos, com medo de que eles percam o respeito. É o chefe que não elogia a equipe para que eles sejam obedientes. Se ele experimentasse conversar com eles para conhecê-los melhor, com certeza iriam respeitá-lo muito mais.
- *Não peça Carícias! Os outros vão perder o respeito por você.*
É o homem que não abre o coração quando está com um problema ou a mãe que não pede ajuda ao filho. Se eles percebessem que as pessoas queridas estão sempre à disposição para estender as mãos, não precisariam endurecer tanto seu coração.
- *Não aceite Carícias! A única maneira de receber Carícias é fazer coisas para consegui-las. Não havendo troca, você vai acabar devendo favores, e aí as pessoas vão terminar manipulando-o.*
É a "mulher-maravilha" que quer dar conta de tudo sozinha (dos filhos, do trabalho, do supermercado) para não depender da mãe, da sogra, do ex-marido, ou o gerente que não aceita ajuda para terminar o trabalho no prazo. Se percebessem que além de não precisar carregar sozinhas o mundo nas costas, fariam os outros sentirem-se importantes por poder ajudar, essas pessoas pediriam ajuda com mais frequência.

- *Quem me ama adivinha do que estou precisando! Afeto pedido não tem o mesmo valor; aliás, acho que não tem nenhum valor (só vale a Carícia espontânea!).*
É o caso típico da moça que quer que o namorado adivinhe por que ficou magoada, ou da profissional que quer que os colegas descubram que ela está com um problema. Elas precisam aprender que quando quiserem alguma coisa, se pedirem diretamente, perceberão que as pessoas são mais cooperativas do que imaginam.
- *Os outros são mais importantes do que eu, portanto deverei estar atento às necessidades dos outros, e não às minhas. Primeiro os outros, sempre... Senão, estarei sendo egoísta, me sentirei culpado.*
Aquela filha que dedica a vida para cuidar da mãe doente e não se permite namorar ou o pai que está sempre deixando sua viagem à Europa para ajudar o filho estão perdendo a oportunidade de ver que quando você se valoriza, todas as pessoas começam a valorizá-lo também.
- *Não rejeite Carícias, mesmo que você não as queira. Se alguém o ama, você tem de corresponder!*
É o caso do chefe que elogia a beleza da nova funcionária sem ver que nem toda Carícia boa é conveniente. As Carícias precisam ser adequadas, pois a funcionária tem o direito de não gostar e dizer: "Aqui quero ser valorizada pelo meu trabalho".
- *Você não deve dar Carícias para si mesmo. Se parecer malcuidado, as pessoas vão ter pena e cuidar de você. Ou então: Sua opinião a respeito de si mesmo não vale muito, o importante é o que os outros pensam.*
A mãe que fica em casa lamentando da vida e não faz nenhum exercício físico, não compra roupas novas, não tem um *hobby* e só espera que os filhos apareçam para

paparicá-la ficará frustrada. Ela precisa aprender que tem de começar a cuidar de si mesma.
- *Ele não sabe se cuidar sozinho!*
Os pais que acham que o filho não cresceu e, depois de adulto, continuam bancando suas contas, precisam aprender a valorizar a capacidade de seu filho de criar a vida dele. Ele vai dar umas cabeçadas, mas com o tempo vai saber criar o próprio destino.

Acreditar nesses mitos é decretar para si mesmo uma vida de infelicidade. Se você estiver com um pensamento desses, observe e fique atento cada vez que ele aparecer na sua mente.

Cada um tem seu preferido, e não existe um pior ou melhor. Todos fazem o ser humano temer a própria alma e virar um "mão-fechada" para dar Carícias.

Algumas pessoas garantem que não pensam assim e procuram esconder essas ideias, porém, observando, é fácil notar quem é escravo dessas regras que só criam solidão e tornam o mundo mais pobre de Carícias.

A greve de Carícias

Greve de Carícias é como greve de fome. Ficamos surpresos ao saber que alguém entrou em greve de fome. Surge a dúvida: "Como alguém consegue ter total domínio de seu corpo, resistir à necessidade de alimento, mesmo no momento de sua morte?".

Talvez seja um dos maiores exemplos do domínio que o homem tem sobre seu corpo e sua vontade. Vamos analisar o que frequentemente ocorre durante uma greve de fome, pois é semelhante ao que ocorre na greve de Carícias. Ela tem três fases, com durações próximas para cada indivíduo.

- *Na primeira fase*, a pessoa sente fome extrema e dores por todo o corpo, principalmente no abdômen. Se perguntarmos a ela qual é o tamanho da sua fome, ela responderá: "A minha impressão é de que comeria um boi inteiro e ainda estaria com fome".
- *Na segunda fase*, o organismo do indivíduo procura adaptar-se à dor da fome e torna-se indiferente ao alimento, aparentando não precisar dele. Pode até decidir se vai comer ou não, ainda que, na realidade, haja uma carência extrema de alimento.
- *Na terceira fase*, começa a haver uma rejeição ao alimento, pois o organismo já não tem mais condições de digeri-lo. A pessoa está quase em estado de choque. Se comer nessa fase, certamente vomitará, podendo até ser vítima de uma intoxicação alimentar.

Pode ter ocorrido com você um processo semelhante se já lhe aconteceu de tomar um cafezinho rápido pela manhã, passar o dia todo ocupado, sem tempo para almoçar, e só se alimentar à noite.

Quem está acostumado a almoçar por volta do meio-dia, à 1 hora já está faminto. Lá pelas 3 horas da tarde, com uma forte dor de cabeça, terá perdido o apetite. E, se ao comer, ingerir muito alimento, provavelmente seu estômago rejeitará a comida.

Essa sequência de episódios também pode acontecer com o sono. Se seu organismo estiver acostumado a dormir às 23 horas, à meia-noite você estará "cambaleando de sono". Depois desse horário, o sono passará. Se for para a cama às 2 da manhã, poderá ter um sono bastante agitado, ou até não conseguir dormir.

Essas reações ocorrem porque nosso organismo procura adaptar-se à situação de agressão. Então, se não temos aquilo de que necessitamos, é muito provável que depois de algum tempo aprendamos a coexistir com essa carência, ainda que de um modo insatisfatório. O organismo vai sempre procurar minimizar uma perda, seja qual for.

Esse mecanismo também funciona para a falta de Carícias. A evolução relativa à falta de Carícias será assim:

1. fome natural de Carícias;
2. fome alta de Carícias;
3. indiferença às Carícias;
4. rejeição às Carícias.

Uma criança nasce com uma fome natural de reconhecimento e, no princípio de sua vida, procura maneiras saudáveis de saciá-la. Se não consegue receber as Carícias de que necessita, sua fome vai aumentando. Cada vez mais ela começa a experimentar condutas para saciar essa necessidade.

Nessa etapa, a criança se torna birrenta, encrenqueira, doente, chorosa, confusa, assustada, e os pais pensam que nunca vão conseguir saciá-la. Se, apesar de todas essas condutas, não receber as Carícias de que necessita, vai acabar negando suas necessidades e ficando cada vez mais solitária e indiferente. Porém, se o lar for ameaçador, com muitas brigas, um pai muito crítico, essa criança vai perceber que não lhe é permitido ficar quieta em seu canto e vai se tornar arredia e defensiva, não aceitando que alguém se aproxime dela.

Então, na evolução da greve de Carícias, as pessoas podem formar os seguintes tipos:

- insaciável;
- indiferente;
- intocável.

O *insaciável* é o comumente chamado saco sem fundo. É a pessoa que quase nunca está satisfeita, sempre quer mais. Ela está sempre pedindo, cobrando e correndo atrás dos outros para obter proteção, carinho e atenção.

Geralmente são pessoas que, quando crianças, recebiam muitas Carícias por comportamentos autodesqualificativos. Quando estavam doentes, confusas, raivosas, arrumando problemas, recebiam muitas Carícias — mas não por serem elas mesmas, nem agirem saudavelmente. Suas frases prediletas são:

- "Você tem que."
- "Eu não consigo."
- "Você não me entende."
- "Sabe o que fulano fez comigo?"
- "Eu não sei o que fazer."

O *indiferente* é o tipo para quem os sentimentos das pessoas, e as próprias pessoas, têm pouquíssima importância. Quando criança, depois de muito lutar para receber as Carícias de que necessitava, acabou perdendo a esperança de consegui-las e resolveu "se virar" sozinho.

A partir daí procurou cortar qualquer manifestação de emoção e de necessidades. Estrutura sua vida para manter os outros o mais longe possível, procura não chamar a atenção sobre si e até prefere passar despercebido.

Suas frases típicas são:

- "Não me importa."
- "Você é quem sabe."
- "É a sua vida."
- "O problema é seu."
- "Tudo vai passar."

Um tipo especial de indiferente é aquele que se apaixona por seu trabalho, porém no campo afetivo não sabe envolver-se. O indiferente não se importa com o que os outros pensam dele, porque sua busca é no sentido de transformar todo mundo em algo que caiba dentro de sua cabeça, sem valorizar o que acontece ou existe fora de si.

O *intocável* é o tipo que considera a descoberta de seu mundo interno pelos outros uma situação de extremo perigo. Quando criança, apesar de ter resolvido "se virar" sozinho, não conseguiu manter essa decisão, pois o ambiente em casa era ameaçador.

Então, essa criança aprendeu a ficar na defensiva. Ela considera as pessoas importantes, mas tem medo de se aproximar, de fazer contato. Sente uma apreensão muito grande de que esse medo seja descoberto.

Suas frases prediletas são:

- "Não foi bem isso que eu quis dizer."
- "Você não entendeu."
- "A culpa é sua."
- "Não me diga o que eu tenho que fazer."

Esses tipos não são estáticos: em uma situação de falta de Carícias, uma pessoa pode passar de um estado para outro. Por exemplo: um marido no estado insaciável pode exigir atenção total da esposa. Mas mesmo que ela o satisfaça, esse homem vai continuar insatisfeito, até que se canse de brigar e a responsabilize por suas dificuldades. Ele passa então a desprezar a esposa, tornando-se indiferente a ela.

Pode ser que a mulher, ao se sentir desprezada pelo companheiro, comece a sair com as amigas, criando para o marido uma situação ameaçadora. A partir daí, ele volta ao tipo insaciável, cobrando a atenção dela, ou se torna um intocável.

Veja a seguir algumas dicas para lidar com cada tipo.

O insaciável deve perceber que, enquanto não aprender a cuidar de si mesmo e a valorizar o que recebe dos outros, provavelmente vai continuar a sofrer.

Para quem lida com um insaciável, é importante dar-se conta de que ninguém sacia ninguém. As pessoas podem trocar afeto, porém sentir-se bem é uma opção individual.

É importante o insaciável perceber que pode lutar para realizar suas necessidades.

O indiferente em geral esconde uma tristeza, às vezes muito intensa, porque o mecanismo de negação de suas necessidades é criado sobre a falta de compreensão que enfrentou na infância.

Muitas vezes a dificuldade de lidar com essa tristeza faz com que o indiferente se distancie ainda mais das pessoas. É frequente não aguentar ficar muito tempo nesse estado e passar para um dos outros.

O intocável esconde muito medo atrás de sua agressividade e tem dificuldade de assumi-lo, pois é provável que o acompanhe desde a infância. Tem necessidade de estar em contato com seus semelhantes e, quando assume suas dificuldades, passa a entender e aceitar as próprias fraquezas.

Esses são os quadros típicos de pessoas com restrições de Carícias. Quando crianças, essas pessoas não tinham grandes opções para saciar suas fomes. Mas, hoje, podem manter sua "bateria de Carícias" carregada e resolver suas necessidades naturais, para que não procurem todo o tempo repor estímulos que não receberam no passado e seguir repetindo cenas que hoje não acontecem.

É lógico que existem pessoas com a "bateria de Carícias" em ordem. Apesar de ter fome natural de Carícias, não necessitam entrar em greve para sobreviver.

A Carícia essencial

Pessoas em greve têm reivindicações. Alguém em greve de Carícias igualmente tem as suas. É importante saber quais são e também que somos nós que temos de encontrar uma maneira de nos propiciar aquilo de que necessitamos.

Se você estiver em greve de Carícias, é o momento de pensar um pouco, olhar para dentro de si e ver que as suas reivindicações são para si mesmo. Hora de pensar e saber do que precisa e ser legal consigo próprio.

As 7 maneiras eficazes de destruir um relacionamento

Existem várias maneiras de não viver bem com as pessoas que você ama. Escolhi as sete que acho mais nocivas ao relacionamento e que infelizmente são muito comuns entre as pessoas:

1. Envolva mais pessoas nos desentendimentos

Uma forma eficaz de complicar um relacionamento entre duas pessoas é sempre colocar mais alguém para tentar resolver algo que só diz respeito a elas. Cair nessa cilada é mais fácil do que você imagina:

- Se você que é mãe não consegue resolver os conflitos com sua filha, ameace-a de falar com o pai dela.
- Se você não está conseguindo que seu colaborador cumpra com sua palavra, coloque seu chefe no conflito.
- Se sua esposa não está sendo carinhosa, reclame dela para sua mãe.

Atenção: A terceira pessoa na conversa quase sempre vai aumentar o tamanho da encrenca! No momento em que você envolve uma terceira pessoa em um dilema que deveria ser bilateral, se forma o que o psicólogo americano Stephen Karpmam chamou de triângulo dramático.

Isso acontece muito com pessoas que não se condicionaram a resolver suas dificuldades. É uma forma de procurar um caminho mais simples, porque, às vezes, a relação com o outro está tão complicada que dá medo de enfrentá-la. A terceira pessoa vira uma válvula de escape.

E assim se constrói um triângulo dramático, em que sempre há os seguintes papéis:

O Perseguidor: é aquele que quer corrigir o mundo, dita o que é certo e errado, fica procurando defeitos nos outros, nos lugares, nas situações e, às vezes, nele mesmo, e adora criticar:

- "Ah! eu não te avisei?"
- "Eu já sabia que..."
- "Eu disse a você, não disse?"

O Salvador: quer cuidar de todo mundo! Sempre está disposto a ajudar e acaba desvalorizando a capacidade de fazer do outro. Como um cavaleiro andante, procura gente complicada para cuidar.

Geralmente, é uma pessoa que precisa muito de afeto, mas, como não sabe pedir, ou não aprende a aceitar, acaba dando para os outros aquilo de que mais precisa.

Como só aprendeu a cuidar dos outros, geralmente não dá chance para que as Vítimas cresçam, pois, se isso ocorresse, perderia a função.

Pergunta-se incessantemente:

- "Como posso ser útil nessa situação?" ou "O que posso fazer por essa pessoa?"

A *Vítima*: faz de sua vida uma série de incapacidades. A vida dela é resultado das ações dos outros; não consegue assumir a responsabilidade pelos próprios atos.

Sempre está procurando desculpas por não conseguir mudar sua vida e geralmente se sente impotente.

- "Como uma gorda como eu pode arrumar alguém que a ame?"
- "Tudo acontece comigo!"
- "Que azar. De novo aconteceu comigo!"
- "Não é horrível?"
- "Como posso trabalhar com um marido desses?"

Um papel não existe sem os outros. Vítimas procuram Salvadores e Perseguidores para ter pessoas que se responsabilizem por sua vida.

Salvadores e Perseguidores procuram Vítimas para cuidar e, assim, não cuidarem de si mesmos. Observe as relações conflitantes para constatar isso. Por exemplo, seu filho não está estudando. Em vez de acertar a situação com ele, você começa a acusar sua esposa de que ela só protege o menino. Se ela aceitar o papel, começará o triângulo. Seu filho torna-se a Vítima de um Perseguidor (você) e sua esposa vira a Salvadora da história. É preciso que, em algum momento, todos parem de agir dentro do triângulo e cada um assuma uma nova atitude.

Mas o que isso tem a ver com as Carícias? Nesse caso, o filho provavelmente está precisando de Carícias condicionais por estar assumindo a responsabilidade pela própria vida; o pai está precisando de Carícias condicionais por estar sendo um pai presente na vida do filho e a mãe está precisando aprender a cuidar de si mesma em vez de ser superprotetora.

Outro exemplo: o casal está em crise e a esposa reclama do marido para o pai dela. Triângulo dramático formado. A esposa vira Vítima do marido. O marido torna-se o Perseguidor da esposa. O pai é eleito o Salvador da coitadinha da filha.

O problema que deveria ser resolvido a dois passa a ser resolvido a três. A esposa e o marido deveriam mergulhar na sua relação e tentar entender quais Carícias precisam trocar para resolver a questão. Mas isso dá trabalho. Então o comportamento mais simples é assumir os papéis do triângulo dramático. O problema é que o triângulo não resolve diretamente a questão. A solução sempre é cada um assumir sua responsabilidade pelo problema e mudar sua atitude.

Se um Perseguidor ou um Salvador aprender a cuidar das próprias necessidades, a desfrutar a vida, a entrar em intimidade, não vai precisar ficar cuidando do mundo ou procurando defeitos nas pessoas. Se a Vítima aprender a assumir a responsabilidade por sua felicidade, a cuidar de si, a acreditar mais em sua capacidade, dispensará a intromissão dos outros em sua vida.

Veja se você consegue se reconhecer em um dos papéis do triângulo dramático nas várias situações que já aconteceram e que acontecem em sua vida. E, o mais importante: aprenda a evitá-lo.

2. Seja quem você não é

Imagine a cena: um casal sai junto pela primeira vez. Ela tira um cigarro da bolsa e pergunta: "Você se incomoda se eu fumar?". Com um sorriso, mostrando ser o homem mais compreensivo do mundo, ele responde: "Tudo bem". Ela acende o cigarro e saboreia sem a mínima pressa.

Seis meses depois, ele tem um ataque de nervos e grita: "Eu não aguento mais seu cigarro!". Ela fica atônita e não entende o que está acontecendo. Pergunta: "Mas você não disse que tudo bem eu fumar?". Então fica decretado o fim de um relacionamento carinhoso.

Se você observar, verá que a maioria das pessoas finge ser uma pessoa que não é. Isso não acontece por maldade, mas simplesmente por um condicionamento equivocado.

Na infância, aprendemos a agir de determinada maneira para ganhar Carícias. O tempo passa e continuamos a agir da mesma maneira e não nos damos conta de que não vamos mais receber Carícias por aquilo. Não percebemos que o mundo mudou...

O rapaz da história do cigarro pode ter aprendido na infância que, para receber Carícias, deveria ser legal com os irmãos, deveria ser o cara compreensivo da família. O menino cresceu e continuou sendo assim nos relacionamentos amorosos. Em vez de ganhar Carícias, ganhou uma baforada de cigarro no rosto e um beijo com gosto de cinzeiro.

Logo que o bebê nasce, começa a receber agrados e Carícias por condutas que seus pais, parentes e amigos valorizam. A mãe diz: "Ele é maravilhoso, não chora nunca" ou "É tão quietinho, até me esqueço dele". Aí, em determinado dia o bebê não está feliz, chora, e a mãe diz: "Ih, ele hoje está chato" ou "Deixa chorando no berço, hoje não tem jeito mesmo".

Rapidamente, o bebê percebe que não vai ser fácil receber as Carícias de que necessita se agir espontaneamente. Passa então a modificar suas condutas, seus pensamentos e, em consequência, seus sentimentos.

Passado algum tempo, acaba se esquecendo de que a mudança foi para receber Carícias somente no seu ambiente familiar e passa a adotar essa postura socialmente. Por fim, acaba perdendo o caminho de volta para a espontaneidade, a intimidade e a liberdade.

Essas mudanças de conduta, pensamentos e sentimentos levam a criança a exibir seus "disfarces", ou seja, a mostrar um comportamento valorizado no meio em que vive, em vez de preservar seus sentimentos reais.

- Em vez de mostrar-se alegre, aparenta tristeza e fica indefesa.
- Em vez de brincar, estuda.
- Em vez de estudar, fica doente.
- Em vez de chorar, faz cara de que está tudo bem.
- Em vez de ser afetiva, torna-se briguenta.

Uma experiência feita com ratos ilustra bem essa situação. O experimento consistiu em colocar um rato diante de um labirinto. Ele passa a explorar os túneis, a princípio movido apenas pela curiosidade e, depois de algum tempo, começa a sentir fome e a procurar alimento no labirinto.

Finalmente, encontra o alimento no túnel número 4. A partir daí, a comida é colocada repetidas vezes no mesmo túnel. Passado um tempo, mesmo que não haja alimento no túnel 4, o rato continuará procurando esse túnel em busca de nutrição e ficará lá todo o tempo, podendo mesmo vir a morrer. Aprendeu que encontraria comida em determinado lugar e não teve a percepção de procurar alimento em outros túneis.

Com as pessoas acontece o mesmo: aprendemos que conseguimos Carícias com determinadas formas de conduta e nos acostumamos a elas sem experimentar novas maneiras de ser.

A criança descobre que será valorizada pelos pais por:

- *Imitá-los* — ser tão depressiva como a mãe ou tão briguenta quanto o pai...
- *Aceitar uma proibição* — "Filho meu não chora" ou "Filha minha não chega depois das 10 horas da noite".

- *Realizar uma indicação* — "Você tem que ficar contente por ela ter deixado você, porque agora está livre para fazer o que quiser".
- *Mostrar-se indiferente a determinadas condutas ou situações* — "Não fique triste, não vale a pena..." ou "Não se incomode por não ter sido convidado".
- *Supervalorizar determinadas condutas* — "Ela não me dá nenhum trabalho, faz tudo sozinha" ou "Meu filho me faz tão feliz, nunca me trouxe problemas".

A criança aprende que, mostrando seus disfarces, consegue agradar aos outros, manipulando-os para receber as Carícias de que necessita. Ficam no túnel número 4, à espera de alimento por algo que um dia, no passado, garantiu a sobrevivência.

Aliás, o que você ainda está fazendo aí no túnel número 4 com essa expressão de Vítima? Ou está querendo salvar a todos? Há alimentos melhores que esse na vida!

3. Chantageie quando não receber Carícias

Imagine que uma criança não ganhe as Carícias positivas de que necessita. O que ela vai fazer? Começará a experimentar condutas até descobrir aquelas que os pais valorizam.

Pode passar a ficar doente, a fim de receber Carícias de lástima, ou ser "boazinha" eternamente, ou se tornar rebelde. Age assim por uma questão de sobrevivência. Essa criança aprenderá a manipular o ambiente para conseguir a atenção necessária, baseada em dois fatores: o que a família valoriza e como os outros procuram manipulá-la.

Basicamente, existem quatro maneiras de manipular os outros:

- culpando-os;
- ameaçando-os;
- subornando-os;
- manifestando indiferença.

Se os pais fizeram com que uma criança se sentisse culpada, geralmente ela vai procurar fazer os outros se sentirem culpados também.

Aprendemos na infância a nos conduzir como pequenos chantagistas, fazendo "apelos emocionais" para extorquir as Carícias de que necessitamos. Assim como os gângsteres, que ofereciam proteção e cobravam um preço alto por isso (e a maneira de se fazerem necessários era eles mesmos colocarem a pessoa em perigo).

Há dois tipos de atitude que refletem isso:

- *Atitudes infantis*: a pessoa atua como uma criança desvalida e consegue que o outro tome conta dela; ou como uma criança encrenqueira, que sempre cria problemas e leva todo mundo a permanentemente lhe dar atenção.
- *Atitudes parentais*: a pessoa se comporta como se fosse pai de todo mundo. Ela pode ser solícita, cuidando em demasia do outro, dando muita atenção, preocupando-se demais. Ou pode ser mandona, querer ser a dona da verdade e decidir tudo.

No final, os dois tipos esperam obediência e reconhecimento por parte dos outros. Esse processo chama-se *extorsão*, porque a Vítima se sente forçada a dar Carícias, mesmo que não queira. Fica difícil negar Carícias a quem está se queixando de infinitos problemas, arrumando dificuldades o tempo todo, procurando nos dar "toda a atenção" do mundo ou ainda querendo nos dizer o que temos de fazer o tempo todo.

Nesses casos, parece até falta de gratidão negar o reconhecimento.

A extorsão se baseia em nossas fraquezas emocionais, porque, se nós tivermos consciência do que estamos dispostos a dar, poderemos deixar isso claro para o outro.

Você poderia me perguntar? Mas, Roberto, por que sucumbimos aos chantagistas? Porque existe o medo de que, ao chegar sua vez, você não consiga as Carícias de que necessita como castigo por não haver cuidado do outro. Frases como estas geralmente sustentam crenças:

- "Um dia você estará no lugar dele."
- "Se um dia você precisar, ele não lhe dará aquilo de que você precisa, pois você é um mal-agradecido."
- "Aceite os convites, senão eles não o convidarão mais..."

Esses processos podem ser identificados em nós e nos outros. Também somos capazes de descobrir alternativas para conseguir as Carícias de que necessitamos, sem sermos movidos pela extorsão ou pela culpa.

4. Critique a pessoa até conseguir o que quer

A maneira tradicional de nos relacionarmos estimula muito mais os comportamentos patológicos do que os saudáveis. Analise:
- Você dá mais atenção, ou tempo, ao filho que vai bem na escola ou ao que tem dificuldades?
- À sua mãe, quando está saudável ou quando está doente?
- Ao seu irmão que está cuidando bem da vida ou ao que está com problemas?

- É mais fácil dar um elogio a um empregado que sempre atua bem ou criticar o que sempre chega atrasado?

Bem, a tendência geral é dar Carícias por comportamentos tóxicos. Ou seja, quando a pessoa atua produtivamente, o reconhecimento diminui. A partir daí, surge uma opção para passar a ter problemas. Ou procurar outra pessoa que valorize sua conduta.
É importante saber que qualquer forma de Carícia reforça o comportamento.
Se o professor chama continuamente a atenção de um aluno por ele ser distraído, é possível que esse comportamento perdure, como forma de o aluno receber estímulos, ainda que sejam negativos.
A questão não é parar de dar atenção a pessoas com problemas – provavelmente elas estão precisando de ajuda –, mas sim ser mais consciente de suas críticas.
Quando você critica alguém pontualmente essa pessoa tem a oportunidade de evoluir, mas quando as críticas são constantes ela destrói a autoestima do outro. E que tal dar Carícias às pessoas quando as coisas estão funcionando bem?
Quando a criança está na sua primeira infância, o contato familiar é tudo de que ela necessita no sentido de Carícias. A partir dos 18 meses, no entanto, é muito importante passar a ter contato com mais pessoas, pois começa a socialização e se inicia o aprendizado de dar e receber Carícias.
A criança aprende que tem algo de que o outro necessita: sua presença! E, também, descobre que os outros têm algo de que ela necessita: a presença deles!
Nessa fase, é fundamental a *liberdade para experimentar*. Descobrirá que, caso seja agressiva em demasia, acabará perdendo o afeto do outro. Ou, se for passiva, também perderá a atenção.

Precisará de liberdade para descobrir que os adultos são, às vezes, parecidos com seus pais e outras vezes são diferentes deles. Se os pais se acharem o centro do universo (e como isso é frequente!), vão acabar limitando essas experiências e os tipos de Carícia que a criança troca com os outros.

5. Rejeite as Carícias do outro

Há pessoas que morrem de fome de afeto mesmo quando as pessoas ao seu redor estão lhe oferecendo alimento.

- Alguém elogia: "Você está linda!".
- Você responde: "Você sempre exagera.".
- Um filho diz: "Obrigado, mãe!".
- Ela devolve: "Você me agradece depois de destruir meu coração.".

Uma maneira bastante eficiente de manter o seu nível de Carícias baixo é rejeitar Carícias. O processo de rejeição de Carícias realiza-se por meio da autodesqualificação.

Identifique o que você faz quando alguém lhe dá uma Carícia agradável. Pode ser que você a aceite, e isso aquecerá seu coração. Mas pode ser que você abaixe "humildemente a cabeça", diga que já sabe o que virá a seguir e pense que o outro está fazendo isso porque depois vai pedir-lhe um favor.

Se desprezar essas Carícias, é bastante provável que depois de algum tempo se sinta com a bateria descarregada e fique decepcionado com as pessoas, com você mesmo e até com a vida. Não porque não recebeu Carícias, mas porque não as aceitou.

É assim que ocorre com a mãe que diz que os filhos não a amam, que só vão visitá-la no domingo por causa da comida, que não cuidam dela. Quando a moçada faz um almoço-surpresa, ela passa a criticar tudo e diz que a comida deveria ter sido mais bem preparada.

É bem provável que essa mãe que rejeita nunca se sinta amada pelos filhos. Não porque eles não a amem, mas porque ela não aceita suas Carícias.

É importante parar de negar o afeto dos outros para poder se sentir amado. Porém, outras vezes é importante se permitir recusar uma Carícia quando ela é indesejada. Por exemplo: "Eu quero me casar com você" (dito por alguém que você não ama).

Ou quando é uma Carícia de plástico: "Você é linda" (dito pelo chefe de uma secretária que está interessada em desenvolver sua capacidade profissional).

Ou quando é uma Carícia enviada da maneira errada: "Sim, eu já disse que te amo".

Você pode recusar uma Carícia dizendo diretamente: "Você pode falar isso olhando nos meus olhos...".

Ou: "Você pode falar algo a respeito da minha inteligência...".

Ou: "Eu não estou interessada nesse tipo de reconhecimento...".

Ou simplesmente ignorar a pessoa que está falando com você, como no exemplo daquele professor que disse para o aluno: "Sabe que, com esse cabelo comprido, pensei que você fosse mulher?".

Ao que o aluno respondeu: "Sabe que, com esse cabelo curto, pensei que você fosse homem?".

Descartar Carícias indesejáveis é uma ótima maneira de carregar a bateria negativamente.

6. Não dê Carícias

Seu grande tesouro é a capacidade de mostrar ao outro quanto você o valoriza. Negar sua atenção é punição, não é carinho! Vamos falar sobre os efeitos de não dar Carícias.

Existem várias situações nas quais as pessoas, ainda que tenham Carícias para dar, acabam limitando sua doação. Exemplos:

- Um pai alcoólatra, que não quer estragar o filho ("O melhor que eu faço é ficar longe dele").
- Um subalterno que acha que o superior não precisa de Carícias ("Não vou falar para meu professor que gosto dele porque acho que ele está cansado de saber").

É muito interessante (às vezes trágico) ver quantas pessoas não dão Carícias com medo de ser rejeitadas. É o caso daquele homem perdidamente apaixonado por uma garota que, com vergonha de seus sentimentos, não falava com ela.

Um dia ela decidiu viajar para outro país. Então ele lhe revelou: "Sei que o que eu vou lhe dizer não tem maior significado, mas estou apaixonado por você. Não se aborreça, sei que não tem importância, mas eu precisava lhe contar".

Ao que ela respondeu: "Seu estúpido! Como você consegue ser tão cego? Eu vou viajar porque não aguentava mais ser rejeitada por você. Será que você não percebeu que também sou apaixonada por você?".

As pessoas necessitam dar Carícias umas às outras. Guardar Carícias leva ao fechamento. Como o avarento, que economiza dinheiro e acaba arrumando mais e mais razões para sua mesquinhez. Não percebe que se tornou escravo dela.

Dar Carícias gera mais Carícias. Há quem economize elogios, toques, olhares; economiza até orgasmos (com medo de acabar, porque ainda acredita que os tem em quantidade limitada)!

Quando uma pessoa é avarenta de Carícias, os relacionamentos humanos tornam-se problemas. É como o pai que vai economizando afeto e tempo ao filho. O tempo vai passando e os dois se distanciando. Chega o dia em que o filho se transforma em um estorvo para o pai.

Envolver-se é fundamental ao ser humano. Quanto mais você confia em si, mais se entrega e dá Carícias tranquilamente, porque sabe que pode conseguir as Carícias de que necessita...

A quantidade de Carícias que a mãe dá ao filho irá influir sobre a autoimagem dele; ao mesmo tempo, sua autoimagem de mãe vai levá-la a dar mais ou menos Carícias ao filho. É como um círculo vicioso: mais amor leva a um sentimento melhor de maternidade, que leva a mais amor, que...

É lógico que as Carícias que alguém recebe como filho vão interferir na maneira como ele vai comportar-se como pai.

Há pesquisas que mostram que os pais que espancam os filhos quase sempre foram espancados na infância e estão repetindo o comportamento vivido anteriormente.

É muito importante percebermos que, assim como é essencial ao bem-estar do indivíduo receber Carícias, também o é dar Carícias.

Poder realizar o maravilhoso ato de estar com alguém.

Saber que nosso amor, nossa presença podem curar. (Lembre-se das dores de cabeça, diarreias e outros problemas que se resolveram com uma conversa amiga.)

7. Cutuque o ponto fraco do outro

Todos nós temos pontos fortes e pontos fracos. Seu ponto fraco, seu calcanhar de aquiles, é o botão que, se atingido, coloca você para baixo. Derruba sua autoestima e o tira do rumo.

E é impressionante como há gente que consegue nos fazer sofrer! Como elas fazem isso? Descobrem o nosso calcanhar de aquiles e apertam até não aguentarmos mais. Vamos analisar isso do princípio.

Em todo relacionamento existem códigos, ou seja, comportamentos que elegemos para nos indicar se estamos sendo amados, odiados, valorizados etc. Você sabe exatamente o que fazer para deixar sua namorada feliz? Você também sabe o que fazer para deixar seu irmão louco da vida com você? Você sabe o que faz seu marido se sentir amado?

Conhecendo bem o outro, você pode escolher entre apertar o calcanhar de aquiles dele e afagar o coração dele. Quais escolhas você tem feito?

Quando você atinge o calcanhar de aquiles do outro está usando o que chamamos de *símbolo de desamor*. São Carícias muito potentes, interpretadas como evidências de rejeição por quem as recebe. Às vezes, uma moça faz algo aparentemente simples que é interpretado pelo namorado como algo agressivo. Por exemplo:

- Convidar uma amiga para sair com eles.
- Pedir que não saiam uma noite em que ela está triste.
- Chegar atrasada em um encontro.
- Não querer fazer sexo porque está exausta.

Se esse namorado for inseguro, poderá sentir um golpe em seu calcanhar de aquiles. A maioria das pessoas, quando vê esse quadro, acha que a moça está fazendo tudo errado. Está destruindo a relação. Mas quero lhe pedir que não caia nessa armadilha... Pode ser que a moça nem tenha a intenção de machucá-lo. O mesmo acontecimento pode ser interpretado como fato corriqueiro por alguns e agressão profunda por outros.

Então, é preciso olhar para dentro do outro para saber do que ele precisa, quais Carícias fazem com que ele se sinta importante.

No filme *A gaiola das loucas* há uma cena muito interessante, em que os protagonistas (dois homossexuais casados há muito tempo) estão envolvidos em uma discussão sobre o fato de um deles não estar mais apaixonado pelo outro:

- "Você não me ama mais!"
- "Eu amo você, meu amor!"
- "Não! Seus olhos já não demonstram mais paixão."
- "Eu continuo apaixonado por você, mas agora quero que desça para o show, pois você já está atrasado e o público está impaciente."
- "Não, você não me ama. Você só está comigo por interesse."
- "Não, eu amo você. Mas agora vá, que o público está impaciente."
- "Não, você não me ama."

O outro, muito nervoso, desfere-lhe um violento soco, e na cena seguinte aparece o primeiro, com o olho roxo, retocando a maquiagem, com uma expressão de extrema alegria, dizendo: "Que bom descobrir que você ainda está apaixonado por mim! Pensei que você não me amasse mais".

Considerando que o filme é uma comédia, e não querendo fazer aqui nenhuma apologia à violência entre os casais, quero mostrar que o fato de o companheiro ter agredido o outro foi, para o primeiro, um sinal evidente de amor, e a contradição é que dá a graça da cena.

Essa história é um exemplo de que um símbolo de amor não precisa ser necessariamente um carinho típico, como um beijo ou abraço. É uma Carícia potente interpretada por quem a recebe como evidência de amor. As pessoas sentem-se amadas quando:

- São cuidadas.
- Recebem demonstração de ciúme do outro.
- Percebem consideração do outro.
- Recebem um olhar de amor.
- Estão fazendo sexo.
- Recebem ajuda do outro.
- Recebem um presente.

Cada um de nós tem os próprios símbolos de amor, e isso funciona como um código pessoal, já que esses símbolos podem ser muito diferentes de pessoa para pessoa.

É importante que saibamos quais desses símbolos de amor nos satisfazem e nos dão a sensação de sermos amados. E também esforçar-se para reconhecer os símbolos do outro.

E também precisamos conhecer mais sobre isso em relação às pessoas com quem nos relacionamos. Se não conhecermos esses símbolos, podemos cair na armadilha de apertar o calcanhar de aquiles do outro.

Um rapaz pode, por exemplo, levar a namorada a diferentes e maravilhosos lugares para estarem juntos e felizes, certo de que isso é o que ela sempre desejou. Porém, depois de tanta agitação, é possível que ela não se sinta valorizada. Porque, para ela, o símbolo do amor pode ser os dois ficarem no sábado à noite assistindo à televisão e tomando chá em casa.

Isso acontece porque nossas imagens de amor, em sua maioria, são formadas por ideias captadas dos outros. Podem, às vezes, vir de um filme: "Olha, ele a amava tanto que arriscou a própria vida por ela." Ou de uma terceira pessoa: "Não sei como o João aguenta a mulher, ela inferniza tanto a vida dele! Deve ser porque a ama muito."

As pessoas, geralmente, demonstram amor das seguintes maneiras:

- Fazendo coisas por eles.
- Olhando-os de maneira afetiva.
- Ou simplesmente ficando a seu lado.

Se você faz tudo isso e mesmo assim só recebe chutes, é bem capaz de que esteja apertando o calcanhar de aquiles dessa pessoa, sem perceber.

Analise quais desses mecanismos você utiliza para complicar seus relacionamentos e cuide deles para você poder ser uma pessoa melhor.

A dinâmica das Carícias

Falamos sobre os tipos de Carícias que você pode dar a si mesmo e também sobre quais Carícias você pode trocar com as pessoas que você ama. Agora talvez você quisesse me perguntar: Mas, Roberto, como faço para viver dessa maneira? Como identifico as Carícias e as coloco definitivamente na minha vida?

Conhecer os tipos de Carícias é somente o primeiro passo para você resolver sua carência afetiva e conseguir viver bem com outros. O processo definitivo que vai promover uma revolução na sua vida é entender como acontece a dinâmica das Carícias, ou seja, como dar espaço para que as Carícias façam parte do seu dia a dia.

Existem, como eu mencionei, várias ciladas que fazem com que desprezemos as Carícias que os outros nos dão e acabemos bloqueando esse fluxo positivo.

A sociedade nos condiciona a não darmos nem trocarmos as Carícias de que precisamos com as pessoas que amamos. Vivemos aquele mito de que precisamos economizar ou elas vão acabar.

Se você não abandonar essas crenças e mitos, se não olhar sua vida de fora, vai continuar a cometer os mesmos erros e a ser um "mão-fechada" para as Carícias. Isso vai fazer com que continue a sofrer de carência afetiva, pois não conseguirá preencher sua necessidade de Carícias.

Você vai continuar entrando em conflito consigo mesmo e com quem você ama, como naquela história de Carícias, pois quem não sabe criar uma dinâmica de Carícias acaba murchando.

Existem cinco regras básicas para evitar a economia de Carícias, muito práticas, e que você pode aplicar já:

1. *Dê Carícias positivas quando quiser dar.* Distribua as Carícias, sem medo de ser julgado como um bajulador. Você sabe quando tem a intenção de bajular e quando tem uma vontade verdadeira de fazer o outro se sentir bem. Aja de acordo com seu coração e não ouça conselhos de quem economiza afeto e por isso mesmo vive sem ele.
2. *Aceite as Carícias positivas que oferecerem.* "Você joga muito bem." "Você é linda." "Nossa, como você é inteligente!" Quando você ouve frases como essas, logo vêm à mente pensamentos do tipo: "Ele só diz isso para me deixar contente". Não se deixe dominar por esse tipo de raciocínio, pois essa é mais uma cilada que corrompe o fluxo de dinâmica de Carícias. Viver bem com os outros é saber dar, mas também saber receber Carícias. Aceite os elogios, aceite as palavras positivas, deixe que sua vida seja preenchida por elas. Alimente-se delas sem pudor e sem falsa modéstia.
3. *Peça as Carícias positivas de que necessita.* Quantas vezes seu orgulho não falou mais alto e você teve pensamentos do tipo: "Eu? Pedir a ele que diga se gostou do meu trabalho? Nem pensar! Se fizer isso, meu chefe vai pensar que estou carente". Abandone essa falsa crença que só faz

você ficar solitário, pois ninguém é autossuficiente. Todos precisamos de Carícias e admitir isso não é vergonha, mas um ato de coragem. Quando você tira a armadura e mostra suas necessidades ao outro, acaba se aproximando dele. E abre o caminho para ele fazer o mesmo.

4. *Recuse as Carícias negativas que dão a você.* Você não é obrigado a aceitar nenhum tipo de atitude que não faça bem a você, mesmo que seja para parecer simpático ou compreensivo com quem faz *bullying*. Esse é o tipo de Carícia negativa que não faz bem para sua autoestima, não alimenta as atitudes nem traz um fluxo positivo para elas. Viver bem com os outros não é simplesmente baixar a cabeça para o que eles fazem. Se alguma coisa o incomoda, diga, e não aceite.

5. *Dê a você mesmo Carícias positivas.* Não acredite no mito que a sociedade nos faz engolir: "As pessoas que se elogiam são vazias". Reconhecer as próprias qualidades é um ato de amor consigo mesmo, é dar-se Autocarícias. Quem não sabe se valorizar não tem como valorizar os outros de verdade. Fazer essa troca positiva com você não é questão de ser narcisista, vaidoso ou deslumbrado consigo mesmo, mas de assumir suas virtudes e talentos.

Quando você aprende a criar uma dinâmica de Carícias positiva, consegue amar e ser amado e, principalmente, sente-se importante para as pessoas que ama.

Os altos e baixos dos relacionamentos

Viver plenamente a troca de Carícias positivas é um desafio, afinal, estamos falando de relações humanas e de toda a sua complexidade. A falta de tempo pode fazer você trocar menos Carícias do que gostaria com seus pais. A pressão do dia a dia abala a dinâmica de Carícias no ambiente de trabalho. A rotina afeta a troca de Carícias na vida a dois.

Assim como o tempo, as emoções também passam por ciclos, e tanto o sentimento de amor romântico quanto o de ligação profunda podem desaparecer nos relacionamentos. Mas, felizmente, quando você consegue incorporar a dinâmica de Carícias à sua vida, vai ficando cada vez mais fácil retomar a fluxo positivo.

Com mais frequência, esse "esfriar da relação" vai sendo temporário. Você vira especialista em trazer suas relações para a rota de Carícias positivas e ajusta o leme do barco. Depois de alguns dias, a vida retorna ao caminho habitual, com todas as cores e sabores.

Mas coisas não habituais podem acontecer. Para algumas pessoas, essa fase de falta de calor na relação pode parecer nunca terminar e muitas vezes é acompanhada por muita amargura e hostilidade.

Os parceiros passam a não suportar mais um ao outro e, mesmo aqueles pequenos defeitos que eram suportáveis, e até mesmo divertidos, passam a ser vistos como hábitos desagradáveis. A relação que deveria supostamente atender à necessidade de amor de ambos os parceiros torna-se terreno fértil de ressentimento.

Para voltar à sintonia, é preciso entender a dinâmica de Carícias. Aqui, dou um exemplo de um casal, mas ele pode ser adaptado a qualquer relação: entre pai e filho, entre duas amigas, entre chefe e subordinado, etc.

Após alguns anos de casamento com Tina, Rogério descobriu que o sentimento de amor por sua esposa havia esfriado. Rogério dizia que se sentia amargo e ressentido por causa das experiências que teve de passar em sua vida de casado. Reclamava que Tina não tinha nenhuma iniciativa ou motivação.

Tina, por sua vez, sempre reclamava da falta de dinheiro. Rogério não era acomodado: trabalhava duro e ganhava dinheiro suficiente para manter a família. Ainda estudava em tempo parcial, para conseguir um diploma universitário.

Uma das principais reclamações de Rogério era que a esposa estava muito acima do peso e não iniciava qualquer atividade física, nem parava de comer alimentos gordurosos. Com isso, a vida sexual do casal estava sendo afetada.

Tina não parecia incomodada. Era uma mulher maravilhosa, só que ganhou algum peso a mais depois do casamento. Ela mesma tinha vergonha disso, mas esse problema de peso e a reação de Rogério baixaram sua autoestima, de modo que ela continuava se alimentando em excesso, tentando manter sua depressão afastada. Isso, por sua vez, causava mais ganho de peso.

Ela achava que Rogério poderia motivá-la a resolver o problema de peso com palavras amorosas e de inspiração, em vez de comentários sarcásticos. Diante disso, é bem capaz que suas constantes reclamações sobre a falta de dinheiro fossem apenas um desejo subconsciente de agredir Rogério.

Quando casais ficam presos em situações semelhantes, perdem a faculdade de olhar para a realidade de um ângulo verdadeiramente imparcial. A solução de tais situações pode ser encontrada olhando-se para o problema diretamente, com a ajuda de um conselheiro qualificado, se necessário. E a partir daí reconstruir o caminho da comunicação que ficou danificado pela aspereza desse período infeliz.

Quando você se despe de qualquer orgulho e olha generosamente para o outro, consegue descobrir do que ele necessita de verdade. E passa a dar a Carícia essencial para ele.

A partir desse momento, monta uma dinâmica positiva de Carícias e reverte o conflito. Certamente você receberá como retribuição a Carícia essencial de que precisa. É o caso do casal que tem um filho e passa a não ter tempo para namorar. Um dia, a esposa, percebendo que precisa dessa Carícia de romance, comenta com o marido: "Estou sentindo tanta falta daqueles nossos jantares a dois". Passam-se duas semanas e ele a convida para ir ao restaurante mexicano que ela adora.

Se essa mulher não pedisse, ficaria sentindo essa carência e o marido não adivinharia. Poderia pensar que ela estava tão envolvida com os cuidados com o bebê que não precisava mais dele como homem. Um pedido fez com que a dinâmica de Carícias voltasse a fluir.

Outra história é a da moça que decide emagrecer. O marido, que a ama, diz que ela é linda de qualquer jeito, mas ela não quer essa Carícia. Precisa, na verdade, que ele a estimule dizendo: "Nossa, como você é determinada! Admiro você e torço para que chegue ao seu peso ideal".

Para receber a Carícia certa, ela terá de rejeitar o elogio "Você é linda" e pedir o elogio que alimenta sua autoestima. Ela precisa sentir que seu marido a entende de verdade. Por outro lado, esse homem precisa conhecer as Carícias de que ela precisa ou vai dar sempre a Carícia errada e a relação vai esfriar.

Quem tem uma postura passiva deixa a vida atropelar e acaba seguindo o fluxo da maioria, que é o de uma vida pobre em Carícias. Viver a abundância de Carícias é estar sempre atento à sua dinâmica e ter atitude para mudar o que não está bom e ajustar a vida conforme as necessidades que vão se apresentando.

Filtro de Carícias

Você já sabe como é importante criar um ambiente abundante de Carícias positivas, mas talvez precise ainda de um ajuste fino na forma como vai fazer isso. Com base em seu sistema de crenças, o ser humano começa a filtrar as Carícias, como se usasse uma barragem que retém as partículas nocivas (quando está funcionando bem) ou que deixa a água passar do jeito que está (quando não funciona direito).

Por exemplo, você pode ouvir a frase: "Você é incompetente" de duas maneiras: se está com a autoestima em alta e sabe do seu valor, vai barrar o comentário e jogá-lo no lixo. Por outro lado, se estiver carente e sem amor-próprio, vai permitir que essas palavras machuquem você.

Algumas pessoas, com seu filtro de Carícias, deixam passar somente os estímulos que lhes são necessários. Sabem escolher as pessoas e situações para receber os estímulos, ou seja, sabem bloquear a parte nociva, assimilando apenas a parte sadia. É como o trabalho de "reaproveitar" um saco de feijão carunchado: se limparmos bem, ainda nos dará um bom prato.

Outros têm o filtro todo aberto e aceitam qualquer Carícia. Há ainda aqueles que transformam uma Carícia positiva em negativa, porque o filtro já está tão contaminado que qualquer estímulo bom que caia ali será também contagiado.

Todos nós acabamos escolhendo as Carícias que recebemos baseados em nossas "crenças básicas", nos estímulos que aprendemos a valorizar.

O problema acontece quando desvalorizamos as Carícias de que precisamos, ou seja, filtramos as Carícias erradas, desprezando as que nos alimentariam de verdade e correndo atrás daquelas que consideramos essenciais, mas não são:

- Um executivo lutando para conquistar o mundo sem perceber que já tem as Carícias de que precisa no carinho de seus filhos.
- Uma mulher bonita querendo mais elogios eróticos quando já tem o afeto do homem que ama.
- Uma filha esperando ser elogiada pela inteligência quando já tem a admiração dos pais pelo seu caráter.

Várias lutas vazias acontecem por não percebermos que o essencial já está bem perto, ali ao lado. Sabendo quais são as Carícias de que necessitamos, passamos a ficar mais atentos ao que os outros nos dão. E se as pessoas não dão aquilo de que necessitamos, devemos pedir.

Abra-se também às Carícias que podem vir de bônus, ou seja, aquelas que você não espera, mas que podem enriquecer sua vida. É natural uma bailarina aceitar um elogio: "Como você dança bem!". Entretanto, ela pode não perceber o comentário: "Como você tem um bom pique para a corrida!". Isso, para ela, não é o esperado.

Se você ficar atento e captar os estímulos que vêm de fora, seu estoque de Carícias só vai aumentar.

Transforme lixo em adubo

O que fazer quando a Carícia que recebemos não é positiva ou adequada. Jogamos no lixo?

Existe uma maneira inteligente de usar uma Carícia negativa: é fazer uma reciclagem, assim como se faz para transformar lixo em adubo.

Por exemplo, quando alguém lhe diz: "Será que você precisa de um carro tão chique assim?", você pode filtrar essa Carícia concluindo que se trata de uma expressão de inveja. Em seguida, em vez de achar que aquilo era inveja, você pode pensar assim: "Na verdade, ele me admira e gostaria de estar no meu lugar. Só não sabe expressar isso de outra maneira". Com esse filtro, a Carícia se torna positiva para você e seu estoque continua abundante.

Cada um de nós tem o poder de transformar os estímulos que recebe, ou seja, com a mesma Carícia uma pessoa pode carregar sua bateria positiva ou negativamente.

Mais um exemplo: O marido se aproxima feliz da esposa e diz:

"Meu bem, como você é bonita!" (Carícia positiva incondicional). Ela pode aceitar a Carícia ou transformá-la:

- "É que hoje eu fui ao cabeleireiro" (Carícia condicional) ou
- "Você sabe que eu sou feia, diz isso porque tem pena de mim" (Carícia de lástima) ou
- "Quando você me elogia é porque tem alguma coisa errada. O que você andou fazendo?" (Carícia agressiva)

Esse é um jeito de transformar uma Carícia positiva em negativa. Vejamos, agora, um exemplo de transformação de Carícia negativa em positiva.

Um homem diz para uma mulher: "Eu não gosto de você." (Carícia negativa). Essa pessoa, autenticamente, se diz:

- "Eu sei que ele está apaixonado por mim, porém encontra dificuldade de demonstrar amor, e acaba dizendo isso" ou
- "Ele é um sujeito muito agressivo; eu acho importante entender que não me convém sua companhia" ou
- "Eu não preciso ficar procurando pessoas que não gostam de mim" ou
- "Eu sei que sou legal, mas sei também que não vou agradar a todos".

Geralmente, é bom saber transformar um estímulo negativo em positivo, desde que isso não seja uma forma de viver alheio à realidade e manter um relacionamento prejudicial, ou seja, você não deve se enganar e acabar aceitando qualquer Carícia pelo simples fato de saber transformá-la em positiva.

Se alguém só lhe dá Carícias negativas, é hora de avaliar se essa pessoa merece estar tão perto de você. E se você recebe Carícias negativas, pode aproveitá-las aprendendo a não mais acumular lixo, mas sim usá-lo para ter uma vida mais proveitosa e fértil.

Como viver bem consigo mesmo

Nos dias de hoje, todos concordam que só uma pessoa que está de bem consigo mesma vai conseguir ter relacionamentos saudáveis.

Alguém que vive angustiado vai criar angústia em seus relacionamentos.

Alguém que vive irritado vai criar sempre brigas ao seu redor.

E esse seu modo de conviver vai se espalhar para todos os seus relacionamentos, pois, como dizem os norte-americanos, a maneira como você faz uma coisa é a maneira como faz *todas* as coisas.

Então, o primeiro passo para viver bem com as pessoas que você ama é viver bem consigo próprio. Cuidar bem de você é cuidar das suas possíveis carências afetivas e não deixar um vazio em seu coração.

Um coração vazio é um lugar para Carícias negativas que somente aumentam a dor da solidão. A história de Ana ilustra isso muito bem. Ela era uma profissional excelente, com bastante projeção na sua área. Tinha levado vários anos para formar seu nome e ganhar credibilidade no mercado, e isso valeu a pena, pois ela se tornou uma referência na sua profissão.

Resolveu, então, virar sócia da indústria de um de seus clientes que estava no topo do mercado e tinha grandes perspectivas de crescimento. Passou a cuidar da área jurídica da empresa, e logo depois virou sócia, até que assumiu o controle do negócio.

O sucesso da indústria no mercado se consolidou e Ana ficou rica, passando a frequentar ambientes requintados e a ser tratada sempre como uma rainha. Ela gostava disso!

Alguns anos depois, na década de 1990, novos concorrentes entraram fortemente na mesma área de atuação das indústrias de Ana e geraram uma concorrência inesperada e impensável alguns anos antes. Em pouco tempo, jogaram todos os preços para baixo, e a empresa praticamente faliu. As dívidas ficaram gigantescas e Ana ficou sem dinheiro, distanciando-se do mundo de *glamour* que frequentava.

Quando frequentava lugares badalados, Ana recebia muitas Carícias condicionais porque seu dinheiro falava mais alto. De repente, a fonte secou. Os ambientes que ela frequentava mudaram, os restaurantes sofisticados foram substituídos por alguns populares e o atendimento que recebia não era diferenciado. Ana passou a ser apenas mais uma na multidão, mas não aceitava isso.

Certo dia, em um restaurante tipo rodízio, ela explodiu com o garçom porque ele estava demorando muito para atendê-la e não estava trazendo o tipo de carne que ela queria comer; ela queria costela assada. Criou um ambiente horrível na mesa em que estavam seu marido, seus filhos e alguns amigos. Ana se sentiu muito humilhada e sua vontade era sumir dali.

Mais tarde, chegando em casa, brigou com o marido, porque ele não a tinha defendido no restaurante. E brigou com os filhos adolescentes por motivos banais, que não justificavam tanta agressividade. O que Ana não compreendia era que naquele restaurante sua fome não era de costela, mas das Carícias que ela só sabia receber se sentindo importante como antigamente.

Ana precisa saber o que está faltando para se sentir importante, independentemente da qualidade de sua conta bancária. Somente quando conseguir se valorizar passará a não deixar que sua vida desmorone por um simples garçom demorado.

Acredite em quem merece

Woody Allen, citando Groucho Marx, começa o filme *Annie Hall* com a seguinte piada: "Hoje fui aceito como sócio de um clube, mas não vou frequentá-lo jamais. Como posso frequentar um clube que aceita como sócio um sujeito como eu?".

Assim funciona quando uma pessoa tem uma crença básica negativa sobre si mesma de que não é legal ou interessante ou atraente etc.: "Ele gosta de mim, mas como eu posso gostar de um homem que gosta de uma mulher como eu? Ele deve ter problemas profundos; caso contrário, se interessaria por alguém melhor".

Imagine, por exemplo, o caso de uma mulher que tenha em seu sistema de crenças a seguinte gravação: "Eu não sou atraente e os homens não prestam". Se ela estiver sozinha, vai concluir que a culpa é de não ser atraente o bastante. Se estiver com um parceiro ou um amigo, ficará esperando o dia em que esse homem aprontará alguma com ela. Vai procurar a realização dessa crença, para confirmar que estava certa. Na verdade, as pessoas passam a vida coletando dados, situações, observações para provar que suas crenças básicas são verdadeiras.

Isso acontece como naquela história do velho comerciante que viu um jovem estrangeiro entrar em sua loja e, depois de algum tempo, perguntou-lhe como eram as pessoas de seu país. O estrangeiro respondeu: "eram todas hipócritas e mentirosas. Ninguém se suportava, não me arrependo de ter deixado aquele lugar. E aqui, como são as pessoas?". O velho disse: "aqui você vai encontrar pessoas como aquelas que deixou na sua terra". Logo depois, entrou outro estrangeiro e, passado algum tempo, o comerciante fez a mesma pergunta, ouvindo a seguinte resposta: "Ah, as pessoas de minha terra são carinhosas, sensíveis, amigas, muito honestas e leais. Você não sabe a dor do meu coração por ter precisado partir. E aqui, como são as pessoas?". E o sábio comerciante respondeu: "Aqui você vai encontrar pessoas como as que deixou em sua terra".

Há pessoas que têm crenças muito negativas a respeito dos amigos, da família e do amor:

- "Amar é sofrer."
- "Amigos só dão trabalho."
- "Família só se aproxima da gente para dar trabalho."
- "Os homens não prestam."
- "As mulheres estão sempre carentes."

Essas crenças estão dentro de você e são sua forma de olhar para o mundo. Se você tem crenças negativas a respeito das pessoas, vai acabar arrumando problemas com elas para confirmar essas crenças negativas.

Sempre antes de entrar em conflito com alguém importante na sua vida, observe os pensamentos que passam pela sua mente. Outra estratégia é observar os pensamentos que tem depois de uma discussão com alguém importante para você. Alguns pensam:

- "Para que eu fui me envolver novamente?"
- "Sócio é sinônimo de complicação."

Tenha claro que esses pensamentos negativos estão fazendo você viver em conflito com as pessoas que ama. Observe esses pensamentos. A simples constatação de que perturbam você vai ajudar a se livrar deles e viver melhor com as pessoas que você ama.

Encontre o caminho que resolve

As pessoas vivem "quebrando um galho", pegando um caminho que resolve a situação somente naquele momento. Resolvem ansiedade com comida. Resolvem a falta de um amor com bebida. Resolvem baixa autoestima com viagens sofisticadas.

Não adianta tentar enganar a sua carência afetiva, pois ela vai continuar ali, causando dor. Não adianta querer anestesiar essa dor nem tentar preencher o vazio com coisas que dão um alívio breve, mas causam uma ressaca muito dolorosa.

As pessoas se iludem com o alívio imediato que essas coisas produzem e só depois de um tempo percebem que caíram em um vício. Vemos dependentes de álcool, comprimidos, maconha, cigarros etc., mas também encontramos viciados em determinados tipos de Carícia, como elogios, brigas, lástimas e sexo.

O problema se instala quando você estrutura a vida exclusivamente para conseguir determinados tipos de Carícia e se torna dependente deles. Como alguns viciados em cocaína, que trabalham e se programam unicamente para conseguir o tóxico.

Um viciado frequentemente não consegue ver outras opções que não as oferecidas pelo vício. E geralmente não se sacia; sempre quer mais. Então, às vezes, para receber o que deseja se "mata", fazendo coisas prejudiciais a si mesmo. Há pessoas que não conseguem viver sem:

- uma briguinha;
- todo mundo em volta bajulando ou criticando;
- trabalhar o tempo todo;
- ficar doente.

Pense se você está se viciando em um determinado tipo de Carícia. Se você identificar algum, pense no que faz para conseguir essas Carícias. E pense também no que você está perdendo para manter esse vício.

Cada vez que um vício, um quebra-galho, gritar por mais no seu coração, é hora de fazer uma pausa e buscar o alimento que vai alimentar sua alma.

Resolva suas dificuldades enquanto elas são pequenas

Nossas encrencas geralmente começam com dificuldades:

- Dificuldade de pedir desculpas.
- Dificuldade de agradecer.
- Dificuldade de chorar.
- Dificuldade de conseguir êxito.

Muitas vezes, uma dificuldade de simplesmente pedir desculpas pode se tornar uma grande explosão. Às vezes, pai e filho ficam meses sem se falar porque um dos dois não conseguiu falar simplesmente: "Foi mal, explodi sem querer. Me desculpe".

Sempre que você perceber que errou, peça desculpas imediatamente e depois continue a conversa.

Há pessoas que não sabem agradecer, falar um simples "obrigado". Se há essa dificuldade, quando alguém fizer um favor para você, fale um obrigado rapidamente e verá que a possibilidade de um incêndio vai ser destruída.

Há quem não consiga chorar, e não se deixa emocionar nem com uma bela frase ou mensagem, mas gostaria de se emocionar com seu pai ou com seu filho. Se você não abrir seu coração aos poucos, sentirá uma agressão ao abri-lo forçadamente de uma vez.

Muita gente não consegue uma pequena vitória, como passar um dia sem fumar, correr um quilômetro ou entender um assunto difícil escrito em um livro, e, para resolver isso, procuram uma "grande vitória": parar de fumar de vez, correr uma maratona ou ler todos os livros complicados que existem.

Comece sem pretensões, e você verá que aos poucos conseguirá resolver as pequenas coisas. Isso dará energia e força para vencer as grandes.

Pense nisto: uma dificuldade, se não for enfrentada, pode estar amadurecendo e se transformando em um problema. Mude agora!

Não alimente seus problemas

Se você observar, vai perceber que vive repetindo os mesmos problemas pela vida afora, apesar de se esforçar para resolvê-los. A maioria das pessoas conhece a causa deles, sabe como resolvê-los, e, no entanto, eles persistem.

O que eu percebo é que, mesmo depois de vários anos de terapia, as pessoas que não atacam seus problemas de frente sempre continuam com as mesmas dificuldades:

- O pai distante que não consegue trocar afeto.
- A mãe carente que está sempre reclamando que ninguém gosta dela.
- A executiva solitária que diz que os homens não querem compromisso.
- O executivo solitário que diz que as mulheres não querem compromisso.
- O jovem fracassado que está sempre começando um novo projeto, mas nunca vai até o final.

Por que essas dificuldades de personalidade continuam, mesmo quando você tem consciência de que sua vida está parada? Será que você não está apenas reforçando esse problema com algum desses mecanismos?

Isso se chama sistema derrotista. Em um sistema derrotista, existem três manobras básicas: sabotagem, trapaça e escudo. Elas levam o indivíduo a manter um problema vida afora:

- O *escudo* é algo ou alguém que a pessoa coloca entre si e a situação que quer evitar. Por exemplo: uma pessoa com dificuldades de se relacionar afetivamente pode dar como desculpas o filho, o trabalho, a prova do dia seguinte para não sair com alguém. As pessoas sempre elogiam a pessoa que está cuidando de alguma coisa, mas não percebem que a tal responsabilidade é somente um escudo para que não enfrente as dificuldades no caminho.
- A *trapaça* é uma conduta estimulada pelo grupo social, mas que mantém a pessoa dentro de um esquema de vida prejudicial. Por exemplo: uma pessoa que trabalha 15 horas por dia, sete dias na semana, frequentemente recebe Carícias por ser trabalhadora, enquanto suas relações familiares vão afundando.
- A *sabotagem* é uma atitude que leva ao fracasso. Condutas típicas de sabotagem são adiar, esquecer, negligenciar etc.

Pense em um problema seu e veja se você está usando alguém como escudo e quais são suas trapaças e sabotagens. Um problema que persiste é geralmente uma maneira de evitar intimidade, desfrutar, ter êxito e/ou autonomia.

Antônio Carlos era um arquiteto com muito talento, mas que não conseguia fazer decolar a sua vida profissional.

Logo na primeira sessão de *coaching*, percebi sua dificuldade em terminar o que começava. Trabalhava forte e estudava muito, mas interrompia os projetos no meio do caminho.

Depois de alguns minutos, percebi que seu *escudo* eram os pais. Antônio dizia que eles viviam com problemas. Como filho, se sentia na obrigação de sempre ter de parar no meio do caminho para acudi-los quando necessitavam.

Observe que muitas pessoas, mesmo tendo os pais doentes, continuam a manter em dia suas responsabilidades.

A *trapaça* do Antônio Carlos era fazer vários cursos. Ele dizia que não poderia evoluir antes de estudar muito. Observe: as pessoas ingênuas admiravam a sua vontade de estudar mais, mas não percebiam que esse mecanismo estava destruindo seus resultados.

Imagine se Bill Gates ou Steve Jobs não avançassem em seus projetos enquanto não terminassem a faculdade?

Sua *sabotagem* era nunca terminar o que começava.

Somente quando Antônio assumiu a responsabilidade por seus escudos, trapaças e sabotagens a carreira dele decolou.

Se você tem um problema que persiste em sua vida, é hora de analisar seus escudos, trapaças e sabotagens. E, principalmente, suas autossabotagens!

Mude para melhor

Mudar é um ato simples, mas há muitas maneiras de complicá-lo. Complicar a mudança é não se comprometer com ela. É se importar demais com o que os outros vão sentir ou pensar em razão da nossa transformação.

É lógico que algumas pessoas vão comemorar o nosso bem-estar, mas pode ser que outras se sintam ameaçadas. Complicar a mudança é achar que ela vai acontecer espontânea e instantaneamente. Muitas vezes, é importante lutar contra os nossos hábitos. Por exemplo, a mudança de alguém que costuma explodir, brigar com todo mundo só vai acontecer depois que aprender a lutar contra seu hábito.

Uma mudança de comportamento sempre implica mudança no tipo de Carícias.

A maioria das pessoas quer e necessita ser entendida no seu crescimento. O problema é que muitos relacionamentos são de dependência afetiva. E as acusações ao outro têm origem nos problemas do relacionamento.

As simbioses são relações em que duas pessoas "incompletas" se unem esperando que, com o modelo e convite do outro, conseguirão realizar-se, assim como o encontro entre o cego e o manco, em que o cego passa a enxergar com os olhos do manco e este a andar com as pernas do cego.

Então, em vez de ficarem juntos por suas riquezas, acabam criando uma pobreza afetiva.

Um estudo demonstra que os casais alemães conversam em média trinta minutos por dia, até o segundo ano de matrimônio; depois aproximadamente quinze minutos até o quarto ano e, ao redor do oitavo ano, comunicam-se por frases breves, essenciais, que resultam em menos de um minuto de conversa diária.

Por isso, a mudança de alguém sempre implica mudança das duas pessoas, pois quando alguém muda, a dinâmica de Carícias muda.

Pense no marido inseguro, que ficava cuidando da esposa o tempo todo, pedindo sua aprovação para tudo. A partir do momento em que ele se sentir mais seguro, passará a ter mais autonomia. Pode ser que a esposa agora seja insegura da relação e questione: "Será que, com essa mudança, ele vai continuar me amando?".

A mudança de uma pessoa sempre implica um convite para a transformação do outro. E se as duas pessoas não colaborarem entre si o conflito começa.

Muitas pessoas não compreendem que qualquer relacionamento é dinâmico. Antes eram o amor de dois adolescentes, estudantes, para quem talvez a coisa mais importante fosse os planos para o futuro. Hoje são marido e mulher com filhos, profissão, tantas outras atividades. Coisas novas aconteceram durante esse tempo; é praticamente impossível que o relacionamento não tenha mudado.

Outro exemplo é o relacionamento entre os pais e a filha adulta. Ela quer ter vida própria e continua sendo tratada como criança.

Quando queremos que ele se torne estático, é como imaginar que o outro possa parar no tempo — é como tirar uma fotografia e querer que esse retrato dure o resto da vida.

Querer que alguém permanecesse do jeito que era é sugerir que ele interrompa o processo da vida, o que significaria sua morte.

O amor é evolutivo. E o outro muda não para nos agredir, para nos magoar, mas para se tornar pleno. Os relacionamentos evoluem, e a riqueza suprema dessa evolução é que as relações acompanham o crescimento das pessoas.

AME A SI MESMO

"Se você quer me amar, legal!
Eu gosto de você.
Se você quer me desvalorizar,
O problema é seu.
Aprendi que somente eu
Posso me desqualificar."

DÊ-SE AUTOCARÍCIAS POSITIVAS

Um profissional liberal foi morar no exterior para ficar longe da mãe porque ela o inibia muito, mas descobriu, desapontado, que a tinha levado dentro de sua cabeça. Permanecia tímido, "escutando as ordens" de sua mãe, mesmo estando muito longe dela.

A maior parte das pessoas vivencia um processo que se chama *diálogo interno*. Ele ocorre como se fosse uma conversa dentro da própria cabeça, com perguntas e respostas, críticas e desculpas, acusações e defesas em que, geralmente, o indivíduo experimenta um grande mal-estar.

O que quero dizer é que cada um de nós se dá Carícias a maior parte do tempo. Neste momento em que você está lendo este livro, pode estar se dando uma Carícia:

- condicional: "Eu vou aproveitar essas ideias para ser mais feliz com meus amigos";
- negativa, de lástima: "Eu nunca vou conseguir mudar";
- agressiva: "Eu só faço bobagem".

A maioria das pessoas está conversando consigo mesma o tempo todo e geralmente se dando o que chamamos Autocarícias.

Determinadas situações propiciam mais as Autocarícias. As situações de estresse são aquelas em que as pessoas se dão mais Carícias. E, dependendo da autoestima, elas serão positivas ou negativas:

- na véspera de algum tipo de exame: "Ai!!! Acho que não vou passar" ou "Legal! Depois da prova eu entro em férias";
- nas paixões: "Ninguém gosta de mim?" ou "O que eu vou fazer para conquistá-lo?";
- em um emprego novo: "Eu nem quero pensar no que vai acontecer se eles descobrirem que eu não sei o que fazer aqui" ou "Vou dar o melhor de mim e aprender o máximo possível";
- fim de namoro: "Não se deve confiar nos homens (ou nas mulheres)" ou "Ele vai ver!".

Vejamos como se forma o padrão de Autocarícias de uma pessoa. Por exemplo: um menino tem um pai muito crítico, que diz muitas vezes: "Você é burro!" (Carícia agressiva), e uma mãe que repete: "Coitadinho!" (Carícia de lástima).

Durante muito tempo, a criança escuta essas mensagens, vindas dos pais. De tanto participarem de sua vida, esses personagens acabam sendo internalizados e, a partir daí, mesmo que não lhe enviem mais as mesmas mensagens, essas frases acabam se perpetuando. E, quando algo de errado acontece, ele se diz:

- "Eu sou burro" (Autocarícia agressiva).
- "Coitadinho de mim" (Autocarícia de lástima).

Por meio do diálogo interno, a pessoa satisfaz sua necessidade de estímulos.

Como vimos, aqueles que funcionam como Perseguidores tendem a dar Carícias agressivas, e as Salvadoras, Carícias de lástima. Com as Autocarícias, as pessoas podem ser Perseguidoras, Salvadoras e Vítimas de si mesmas.

Imaginemos alguém que chegue em casa e atue como Autossalvador ("Coitadinho, está tão cansado...") e coloque as chaves do carro em qualquer lugar. Às 19h55, procura as chaves para ir a um encontro marcado para as 20 horas. Não as encontra e faz a tradicional pergunta: "Onde eu coloquei as chaves?". Nesse ponto, começa a se sentir desesperado e atua como seu próprio Perseguidor: "Eu sou um irresponsável, nunca vou fazer nada certo!". Não há mais ninguém em casa. Então não dá para colocar a culpa na mulher, no filho, na empregada.

Sozinho, provavelmente, brigará consigo mesmo. Finalmente encontra as chaves. Sai correndo para o encontro e a pessoa não está mais lá. Então começa a se sentir uma Vítima: "Puxa, tudo acontece comigo, eu sou mesmo azarado".

A pessoa consegue, em uma situação, atuar como Perseguidor, Salvador e Vítima com grande eficiência, sem precisar de ninguém para dar uma mãozinha.

Isso é conseguido à custa de muito treinamento: de ver e fazer.

É assim que a maioria das pessoas acaba funcionando.

- "Você faz tudo errado."
- "O problema é o seu chefe que não entende você."
- "Mas, também, com o pai que você teve..."

Comeca observar a conversa que está acontecendo dentro da sua mente. Ela está sendo construtiva ou você está se autoacusando ou acusando alguém por seus problemas? Quem falava esse tipo de frase na sua infância?

Em geral, esse diálogo interno é um potente processo de autotortura. Especialmente quando você está passando por um problema.

Por exemplo, o projeto está atrasado e a pessoa fica repetindo para si mesma: "Meu chefe está sempre me perseguindo. Minha equipe só tem incompetente. Eu não devia ter aceitado esse prazo. Sempre faço tudo errado".

Observe que geralmente você começa brigando com outra pessoa e depois briga e acusa a si próprio.

Nesse processo de autotortura, as pessoas, de modo geral, não dão a menor chance de defesa à Vítima. Isso porque conhecem com profundidade suas fraquezas; afinal, são elas próprias!

Então, a autotortura começa de leve (no diálogo interno):

- Por exemplo: "Acho que o Paulo não veio porque ele não me ama".
- E vai aumentando: "Acho que ele não me ama mesmo".
- E aumenta ainda mais: "Ele nunca me amou".
- E aumentando: "Também, quem vai me amar?".
- Aumentando: "Você sempre destruiu seus relacionamentos".
- Aumentando mais: "Nunca ninguém te amou".
- E aumenta mais, até chegar a um desespero em que a pessoa começa a tentar calar a voz da consciência com álcool,

comida, sexo, comprimidos para dormir, dançar até ficar exausta. O diálogo interno para por um tempo e depois volta com mais intensidade de tortura.

Embora esteja sozinha, ela acaba se sentindo como se tivesse recebido Carícias negativas dos outros.

E, às vezes, uma Autocarícia é mais dolorida do que uma Carícia externa, pois é comandada por nós. Se pretendermos nos punir por algum motivo, seremos para nós mesmos os piores carrascos da face da Terra.

Vamos aprofundar neste tema. Se você trabalhasse em uma empresa que tivesse dez telefones e se durante todo o tempo as pessoas os utilizassem para falar com outras, teríamos os dez aparelhos permanentemente ocupados. Se alguém telefonasse para a empresa, não poderia completar a ligação, pois não haveria linhas livres.

Quando alguém tenta falar que você é inteligente, geralmente não consegue. É que todas as linhas dos telefones do diálogo interno estão ocupadas por você, por seus diálogos internos.

Um rapaz da faculdade quer fazer uma declaração de amor para você, mas não encontra uma linha telefônica disponível. Tudo porque você está intensamente dizendo a si mesma que ninguém vai amar você ou que você é feia.

As pessoas e oportunidades não são vistas porque as pessoas estão ocupadas com os seus diálogos internos.

É por isso que, muitas vezes, um empresário vive uma situação problemática da sua empresa e não consegue enxergar a saída, apesar de os consultores mostrarem muitos caminhos.

Ele não escuta as opções porque está com um diálogo interno forte de destruição.

"A empresa vai quebrar. Você só fez besteiras. Você não deveria ter confiado no seu gerente."

Apesar de ter muitas opções no mundo real, ele não percebe porque está fechado na sua autotortura.

Uma pessoa que não se comunica com o exterior pode ficar reclamando de que...

- ninguém a ama;
- ninguém a valoriza;
- ninguém a procura.

Pare um minuto: será que você está se torturando tanto que não consegue ver as opções que estão lá fora?

Entretanto, o básico é que essa pessoa não está aberta, não está com a autoestima em um nível minimamente satisfatório. A tendência do ser humano é procurar os outros quando está bem.

Veja como cuidar bem do seu sistema de Autocarícias:

- identifique suas Autocarícias;
- quando estiver passando por uma crise, aproveite para dar-se conta do que você faz consigo mesmo;
- toda mudança permanente começa com mudar as suas Autocarícias.

Como fazer isso? Em primeiro lugar, quando as vozes do diálogo interno forem negativas, pare e preste atenção no que elas dizem. Ou seja, observe as suas Autocarícias negativas. Assim:

1. Pergunte: "O que eu estou falando para mim mesmo?".
2. Perceba se você se diz as mesmas frases que ouviu no passado e quais são as consequências disso. Quem falava desse jeito com você?
3. Lembre-se de momentos gostosos que teve com essa pessoa. Geralmente, lembrar das coisas boas desse relacionamento dilui as frases negativas.

4. Troque Autocarícias negativas por positivas. Em vez de ficar para baixo, se machucando e sofrendo por algum problema, comece a cuidar bem de você, mesmo que o momento conspire contra.
5. Não repita a situação clássica de criticar a si mesmo quando atravessar uma situação difícil. Pode até ser que os outros façam isso com você, mas não é justo que você faça isso com você mesmo.

Vou dar um exemplo pessoal para você. Frequentemente, atraso quando estou escrevendo um livro novo. Geralmente, porque fico pesquisando novas ideias e vou entrando em novos sites que o Google me mostra. Até que descubro que não escrevi o tanto que prometi para a minha editora.

Na maioria das vezes, falo para mim: "Roberto, tenha foco". E essa frase é mágica, pois me traz para o texto de novo e eu entrego o que prometi.

Mas, algumas vezes, começo a me perseguir e me criticar no meu diálogo interno: "Roberto, por que você atrasou de novo? Você sempre perde tempo com bobagens. Por que se distraiu de novo?".

Quando me dou conta, percebo que estou me torturando. A produtividade vai a quase zero e isso só piora a situação. Algumas vezes, mergulho nesse processo, mas hoje em dia digo a mim mesmo: "Hora de parar a sessão de autotortura e observar esses diálogos internos, Roberto!".

Então, entro em contato com o sofrimento que estou causando a mim mesmo. Lembro que minha mãe me criticava muitas vezes. Depois de um tempo, procuro me lembrar de momentos deliciosos que vivemos juntos. Começo a me sentir uma pessoa muito feliz e passo a me dar Carícias positivas. "Vai ser uma delícia ver o livro pronto. Esse livro vai ajudar muitas pessoas a viver bem com as pessoas que elas amam. Adoro ser escritor".

Certamente, uma das ações mais importantes para resolvermos nossas carências afetivas é darmos Autocarícias positivas. Quer viver melhor? Mude o seu padrão de Autocarícias.

Carregue sua bateria de Carícias

Você começou a mudar o seu padrão de Autocarícias, mas percebe que a vida ainda não está fluindo. Por que isso acontece?

Provavelmente, sua bateria está descarregada. A falta de Carícias deixou você sem energia. O estilo de vida que adotou até pouco tempo deixou você sem energia. Isso geralmente acontece depois que alguém passa um bom tempo cultivando relacionamentos pesados e destrutivos. Seu coração ainda sente falta de Carícias.

Um carro que fica muito tempo parado na garagem terá sua bateria descarregada. Uma pessoa que leva uma vida sem amor terá sua bateria de Carícias descarregada. Pode até ser que sua bateria esteja cheia de muita energia, mas infelizmente essa energia é destrutiva.

Quanto tempo pode durar a bateria de um carro se não estiver sendo sempre usada, estimulada e, dessa forma, recarregada? Todos nós temos uma bateria de Carícias, que funciona como a de um carro: recebendo, armazenando e gastando carga. Existem dois polos da bateria de Carícias, assim como a do carro: o positivo e o negativo. E há dois comportamentos: um para as Carícias positivas e outro para as negativas.

Algumas pessoas, na infância, aprenderam a manter carregada a parte positiva da bateria e procuram Carícias positivas. Ou aproveitam somente o lado positivo da Carícia negativa.

Há também quem tenha aprendido a manter carregada a parte negativa. Nesse caso, funcionam com Carícias negativas.

A máquina humana não foi preparada para o ritmo de competição e estresse que vive hoje. Quando não temos consciência de que nosso corpo é o indicador de que somos seres humanos (e, como seres humanos, somos ótimos), começamos a forçá-lo até que ele não aguenta mais e explode.

A partir daí, passamos a apresentar problemas orgânicos e psicológicos. A solução para esses problemas é basicamente cuidar do corpo, dando-se Autocarícias positivas físicas.

Um exemplo de dar Autocarícias positivas físicas é cuidar do sono. Muita gente dorme mal porque cuida mal do sono. No dia seguinte acorda tensa e cansada. Assim vai ao trabalho, fica tensa e mais cansada, acaba dormindo pior, e assim segue...

Provavelmente, se tiver colchão e travesseiros gostosos, não ficar discutindo na cama antes de dormir, comer alimentos leves à noite, não ler as desgraças dos jornais nessa hora, escutar música suave, fizer um relaxamento, seu sono será muito mais gratificante e, no dia seguinte, acordará com a sensação de que descansou mesmo. Isso certamente influenciará sua maneira de realizar as tarefas do dia a dia.

Algumas pessoas se descuidam e deixam sua bateria de Carícias funcionar em um nível extremamente baixo. Entram em curto-circuito.

Se recebem uma grande carga de energia, consomem-na rapidamente ou, às vezes, estão tão "em curto" que nem sequer chegam a aceitar a carga.

Nesse caso, geralmente o indivíduo começa estruturando sua vida de maneira a receber poucas Carícias incondicionais, ao mesmo tempo em que as desqualifica. Pode finalmente chegar, por seus problemas, a receber muitas Carícias; mas aí essas já não o satisfarão, pois a bateria estará em curto-circuito.

Outra maneira de entrar em curto-circuito é receber Carícias somente por uma característica. Marilyn Monroe é um trágico exemplo de alguém que só era valorizada por sua beleza. Para ela era como se não tivesse nenhuma Carícia. Sofria da síndrome da bateria descarregada.

Como podemos saber se uma pessoa está em curto-circuito? É simples: ela se apresenta irritada ao extremo (hipersensível) e/ou depressiva.

A primeira tendência é provocar muitas brigas, na tentativa de conseguir carregar a bateria. Então, qualquer pequeno estímulo será aumentado para preencher a enorme necessidade de Carícias que ela sente.

Quando não consegue com essa manobra, passa a procurar as Autocarícias do passado para suprir sua necessidade.

Pode começar a fazer chantagens com os outros para receber estímulos. Porém, mesmo recebendo-os, já não consegue manter-se estável.

Outra conduta é cobrar mais e mais afeto dos outros.

Uma sugestão aos cobradores: mudem seu diálogo interno e lembrem-se de que hoje são adultos e a satisfação pode ser diferente de quando eram crianças. Se não estão recebendo Carícias suficientes, devem procurar outras pessoas que possam lhes dar estímulos.

Para cada "não" existem opções de "sim".

Há bilhões de pessoas neste mundo. Quem está com fome de Carícias em meio a tanta gente é porque está fazendo algo, de forma ativa, no sentido de se impedir de recebê-las.

Os sapos só percebem a presença dos insetos quando eles se movimentam. São capazes de morrer de fome sentados sobre milhares de insetos. Será que por vezes nos encontramos em estado de inanição porque também não vemos o potencial de Carícias disponível?

Muitas pessoas vivem esperando um "Papai Noel" que lhes traga a felicidade, esquecendo que têm o poder de mudar sua vida!

Será que você não está esperando um milagre, quando esse milagre está bem ao seu lado, no amor das pessoas que você ama?
A cada momento estamos recebendo carga em nossa bateria. Nos dois compartimentos (no positivo e no negativo). É importante saber manter o compartimento positivo carregado em nível satisfatório, porque se ele estiver baixo aumentará a possibilidade de aceitarmos os estímulos negativos.

Alguém pode aceitar Carícias negativas em tempo de escassez, mas deve conservar a consciência de que é uma fase provisória e que deve procurar algo melhor: as Carícias positivas.

A meta é carregar nossa bateria com Carícias positivas, que compreendem um olhar, um sorriso, um abraço, um beijo e até uma simples sensação de estar perto.

A nossa carga de Carícias é representada pela seguinte fórmula:

Carga de Carícias = Carícias familiares + Carícias conjugais + Carícias profissionais + Carícias sociais.

Consiga Carícias de várias fontes

Temos uma série de papéis. Os das relações afetivas: papel de filho, irmão, pai, marido, esposa, familiares. Os profissionais, que englobam o trabalho e o estudo; e o social, que são nossas relações de amizade.

Algumas pessoas estruturam sua vida para receber as seguintes quantidades de Carícias de cada papel (por exemplo):

8 Carícias necessárias = 2 Carícias familiares + 2 Carícias profissionais + 2 Carícias conjugais + 2 Carícias sociais.

Podemos prever que essa pessoa não vai ser dependente de ninguém, pois possui várias fontes de Carícias e, se por acaso estiver com um problema profissional, poderá receber mais estímulos positivos dos outros papéis. Agora, imagine que alguém tenha na sua estrutura:

8 Carícias necessárias = 0 Carícias familiares + 0 Carícias conjugais + 8 Carícias profissionais + 0 Carícias sociais.

À medida que essa pessoa tiver algum problema profissional, entrará em crise profunda, porque aprendeu somente a receber Carícias pelo trabalho e não desenvolveu outras fontes alternativas de estímulos.

Uma das causas da queda no nível de Carícias e, consequentemente, de sofrimento ocorre quando uma pessoa estrutura sua vida para receber Carícias apenas de uma ou duas fontes. Se faz isso, vai ficando com um manancial bastante pobre, exigindo em demasia dessas fontes, de modo que preencha sua cota necessária.

Algumas dicas para manter a bateria de Carícias carregada positivamente:

- Procure cercar-se de pessoas que sabem trocar Carícias positivas (não de bajuladores, com suas Carícias de plástico).
- Aceite as Carícias que lhe são dadas, quando forem adequadas.
- Resolva um problema com a motivação de crescer, não com autotorturas desnecessárias.
- Peça elogios pelo que você fez.
- Faça surpresas para as pessoas das quais você gosta.

Afinal, Carícias positivas geram Carícias positivas.

Uma boa solução para evitar carregar a bateria com Carícias negativas é abrir novas fontes delas, como ter amigos, dar mais tempo para as pessoas queridas, ter um *hobby*.

A Carícia essencial

Construa seu ninho para cuidar bem de você mesmo

Há dias em que o mundo parece que vai acabar ou em que pensamos que deveríamos parar tudo para começar de novo. As coisas começam a acontecer de maneira errada.

Recomeçamos, e novamente não dá certo...

Nesses dias em que a bateria de Carícias está descarregada, tendemos a implicar com os outros ou a fazer coisas para que os outros impliquem conosco.

Nesses dias, logo depois de começarmos a agir, já conseguimos confirmar que tudo estava mal; se quisermos, sempre poderemos comprovar isso.

Afinal de contas, não existe nada tão ruim que não consigamos piorar.

Porém, se quisermos, por pior que as coisas estejam, poderemos sempre melhorá-las.

Uma das maneiras de mudar é ter um ninho construído, que ajude a mudar o "astral".

Um ninho pode ser:

- uma música envolvente;
- um livro (de amor);
- um lugar especial para você (em casa, na rua, na praia...);
- um filme;
- um show;
- uma peça teatral;
- uma roupa gostosa (e bonita!);
- uma comida especial em um restaurante especial;
- qualquer coisa que dê a você um espaço para tomar fôlego.

E principalmente:

- uma vontade de se sentir bem;
- olhar em volta;
- ver as cores;
- dar um sorriso;
- e voltar a gostar da vida.

Afinal, uma dificuldade pode ser resolvida com muito sofrimento ou com muita serenidade.

A escolha depende de você.

Um ninho é uma estrutura que você pode montar para reabastecer suas Carícias. Sem sofrimento inútil! Se você fizer, pode funcionar!

Como viver bem com quem você ama

DIAGNOSTIQUE AS CARÍCIAS DE QUE OS OUTROS PRECISAM

Sempre que alguém tiver um comportamento pouco produtivo, certamente estará fazendo algo para receber uma Carícia que lhe faz falta. Descobrir e dar aquilo de que essa pessoa precisa é a melhor maneira de esvaziar esse comportamento.

- Um garoto pode usar drogas como uma forma de pedir aos pais: "Preciso de sua atenção".
- Um trabalhador que tem atos de rebeldia pode estar precisando que o chefe lhe diga quanto é importante para o projeto.
- O marido que vive reclamando de tudo em casa pode estar precisando de um carinho na hora de dormir.
- Uma mulher com gastrite pode estar necessitando de que a família lhe leve o café na cama com flores e bilhetes carinhosos, no domingo de manhã.

- Uma adolescente que briga com todo mundo em casa pode estar precisando escutar dos pais: "Filha, eu confio em você, é hora de você cuidar da sua vida. Sempre que precisar, conte conosco".

Quando alguém, em qualquer lugar, tiver um comportamento que não faz parte do seu jeito de ser, está é falando bem alto: "Estou precisando me sentir importante para você!".

Quando fala alto e não é escutado, começa a gritar. Se não recebe nada em troca, acaba ficando afônico: seu corpo perde o viço, seu olhar perde o brilho... porque não conseguiu se sentir importante (para a pessoa que ama...).

Minha mãe sofreu muito no final da vida porque teve câncer. Já com metástases, ela só ficava na cama, sem poder fazer nada. Eu sentia que ela sofria com essa impotência devida à doença, porque o jeito dela sempre foi de cuidar dos filhos, da família. Era batalhadora e tomava a frente das coisas.

Então, um dia cheguei e disse a ela: "Mãe, eu sei que você tem um dinheiro na poupança e eu tô precisando de uma grana. Será que dá pra me emprestar?".

É claro que ela se acendeu toda e disse: "Beto, eu já falei pra você tomar mais cuidado com o seu dinheiro. Você precisa aprender a gastar menos do que ganha!". Em seguida, me falou para pegar o cartão do banco na mesinha de cabeceira, me deu a senha, sorriu e disse, em tom confidencial: "Vai lá no banco e pega o que você precisar". Nesse momento, vi um brilho passando pelos seus olhos.

No dia que eu havia prometido devolver o dinheiro a ela, cheguei de novo e disse: "Mãe, eu me enrolei de novo e não vou poder devolver o seu dinheiro agora... Será que dá para esperar mais um pouco?".

De novo, aquela bronca: "Mas, Beto, você não toma jeito. Você precisa se organizar com o seu dinheiro!". Depois um sorriso e o sussurro: "Pode ficar com o dinheiro mais um pouco... Não estou precisando dele!". E mais uma vez, aquele brilho nos olhos dela.

Repeti mais algumas vezes essa situação. E tive que ouvir a gozação de meus irmãos dizendo: "Ô, Beto... só você mesmo! Virou explorador de mãe doente?". Até que uma hora eles entenderam o que eu estava fazendo.

Para mim, o dinheiro não importava. Não precisava dele. Mas eu estava dando à minha mãe a chance de cuidar de mim. Dava a ela a oportunidade de me dar um puxão de orelha, me dar um conselho e depois me emprestar um dinheiro que ela pensava que iria me ajudar de alguma forma. Era um jeito que eu tinha de ajudá-la a se sentir importante novamente. Era dessa Carícia que ela precisava naquele momento tão difícil na vida dela.

Imagine seu orgulho. Ela, que foi empregada doméstica, tinha uma poupança e podia emprestar algum dinheiro para ajudar um filho que era médico, palestrante, empresário.

Imagine como ela se sentia feliz em saber que o Beto continuava precisando dela e dos conselhos que ela tinha para dar.

Então, essa era uma forma de eu poder fazer com que ela se sentisse importante. E ganhasse forças para passar por todo aquele sofrimento causado pela doença.

Perceba que diferentes pessoas necessitam de diferentes Carícias

Você já deve ter ouvido esta frase clássica: "Não sei o que houve, criei os dois do mesmo jeito, igualzinho, mas como podem ser tão diferentes?".

Sabemos, por experiências, que certos comportamentos já nascem com os seres humanos. Foi constatado que cada bebê no berçário tem seu ritmo próprio de mamar. Uns mamam regularmente, parece até que têm um relógio no estômago; outros não têm o mínimo sentido de horário, são inconstantes.

É importante ter em mente que diferentes pessoas necessitam de diferentes Carícias.

Para o filho que só pensa em estudar, o pai pode dizer que ele pode começar a desfrutar a vida.

Para outro que nunca consegue estudar, certamente a mensagem será diferente.

Cada pessoa tem certo tipo de necessidade e usa seu próprio quadro de referências, que é a sua maneira de ver o mundo.

Estar atento a isso é valioso no contato com as pessoas; é o verdadeiro conhecimento do outro ser humano.

Aliás, a mesma pessoa pode necessitar de diferentes tipos de Carícia em momentos distintos.

A cada momento as pessoas mudam.

A esposa alegre da qual o marido se despediu de manhã pode estar preocupada à noite por causa da doença do filho.

A esposa dependente no início do casamento, que adorava quando o marido a orientava em tudo, é a mesma que se irrita com essa conduta vinte anos depois, quando se transformou numa profissional de sucesso.

O filho que, com alguns meses de idade, necessita que lhe seja dada a mamadeira, com alguns anos quer comer com as próprias mãos.

Lúcia era uma mulher devotada ao lar. Era uma esposa e uma mãe dedicada, que cuidava de todo mundo. Fazia questão disso. A vida parecia correr às mil maravilhas. Até que um dia Lúcia começou a ter crises de choro. A família, sem entender, tentou acalmá-la, depois procurou saber dela o que estava acontecendo.

Foi quando Lúcia disse que ninguém a compreendia. Que ela cuidava de todos, mas ninguém cuidava dela. Que ninguém se importava com o que ela estava sentindo. Nem ao menos reconheciam seus esforços para que todos estivessem bem.

Depois disso, todo mundo passou a elogiá-la, comentar os cuidados dela com a família, agradecer pela sua dedicação. A família passou a dar Carícias para Lúcia pelo fato de ela cuidar de todos.

Mas, depois de algum tempo, Lúcia voltou a chorar e culpar os outros porque ninguém a ajudava. Porque ela tinha de fazer tudo e ninguém se preocupava em ajudá-la.

A família ficou sem saber o que fazer... Se não reconheciam e não agradeciam o seu trabalho, Ana reclamava. Se tinha seu esforço reconhecido, ela reclamava por estar sobrecarregada. Quando alguém se propunha a ajudar nas tarefas de casa, ela não deixava.

Na verdade, Lúcia não estava recebendo as Carícias de que precisava e ficava arrumando meios de chamar a atenção de todos para ela. Era assim que se sentia acariciada.

É importante estar atento ao outro e também estar atento a si mesmo.

(Afinal, é sua opção estar com o outro, da maneira como você escolheu.)

Para que cada encontro seja único, revelador e intenso, para que o encontro atual não seja pura e simplesmente uma repetição do anterior, é importante:

- olhar nos olhos a cada encontro;
- receber as mensagens que o outro nos envia, verbal e não verbalmente;
- perceber quando o outro nos autoriza a entrar em sua vida para que os tímidos aprendam a avançar e os insensíveis aprendam a respeitar o outro.

Temos infinitos tipos de Carícia para oferecer.
Temos infinitas maneiras de dar Carícias.
É uma questão de estar junto ao outro e de treinar.

Mude seu padrão de dar Carícias

As pessoas tendem a manter um padrão de Carícias, dando e pedindo certos tipos de Carícias de determinadas maneiras. Por exemplo:

Do senhor Eduardo, gerente de departamento, sempre é melhor estar preparado para uma crítica, pois é frustrante esperar um elogio. Por outro lado, ele vive falando de si mesmo, criando espaço para que as pessoas o elogiem. Depois de certo tempo, receber elogios de seus subalternos já não o satisfaz mais; então ele procura outras pessoas para trocar Carícias.

Ou então:

- "Meu pai está sempre me dizendo para fazer o que ele acha certo."
- "Minha mãe faz tudo no meu lugar."
- "O Antônio está sempre procurando encrencas."

São frases que identificam uma tendência, ou seja, um padrão de Carícias. Existe um padrão de Carícias que esperamos de cada um, e isso pode afetar a potência do efeito delas. Por exemplo: o marido que dá rosas à mulher. A maioria das mulheres adora receber rosas de presente. Imagine, porém, uma mulher que completa o vigésimo aniversário de casamento dizendo: "Aposto quanto quiser como ele vai entrar daqui a pouco com seu ramalhete de rosas vermelhas, como faz há dezenove anos".

Certamente esse estímulo perde sua potência por ser óbvio. Agora, imagine a surpresa dessa mulher se o marido, nesse aniversário, modificar sua conduta e comprar passagens de avião para um lugar romântico...

Rompe-se o hábito. Pode-se então esperar algo novo. O que significa, talvez, começar de novo!...

Dar uma Carícia esperada é mais cômodo. Porém, às vezes, significa medo de arriscar...

Uma vez, funcionou...

Repetida, não funciona mais!

Se isso acontecer, você pode dizer a essa pessoa que quer que ela mude e diversifique o cardápio...

O padrão de Carícias que recebemos sempre tem importância fundamental na formação de nossa própria identidade. Vou dar um exemplo para explicar isso melhor. Há pouco tempo, recebi um casal de amigos para jantar em minha casa. Durante a conversa toda, a mulher comentava: "É que eu sou desorganizada mesmo!". "Sempre soube que eu era desorganizada." "Meu pai sempre me falava que eu era desorganizada." E o marido reafirmava: "É, ela é muito desorganizada".

De tanto receber Carícias por ser desorganizada, aquela mulher assumiu uma identidade de "ser desorganizada", e é assim que ela se enxerga. Para mudar esse padrão, é preciso aceitar outros tipos de Carícias. E quem quer ajudar a mudar esse padrão precisa dar Carícias inesperadas, enfatizando outro tipo de característica que queira reforçar. E também é importante dar-se Autocarícias que modifiquem esse padrão repetitivo, para mudar, sempre.

Analise seus relacionamentos e verifique se você não está dando sempre o mesmo tipo de Carícia. Talvez seja hora de mudar!

Crie abundância de Carícias

Você já notou que existem determinadas pessoas que criam ao seu redor um ambiente de muita vida? Conviver com elas é uma dádiva!

Sem dúvida, há muitos aspectos, como cultura, experiência de vida, beleza, simpatia que as qualificam.

Mas o mais importante é que elas desenvolveram a "mística" de criar um ambiente com abundância de Carícias. Sentem-se extremamente à vontade para elogiar outros (observe como alguns homens, às vezes, comentam sobre a beleza de uma mulher de maneira que fica claro que eles não têm nenhum interesse particular por ela, e sim admiração).

São pessoas que olham direta e suavemente nos olhos dos outros, que sabem se aproximar, mas também sabem até quanto devem aproximar-se para não "invadir" o outro.

São pessoas que dão Carícias voluntariamente! Portanto, tornam-se menos suscetíveis aos mecanismos de extorsão de Carícias. Sabem que é bom dar Carícias só por dá-las, pois não necessitam salvar os outros. Não realizam a tarefa alheia, dividem responsabilidades e não fazem coisas contra a vontade só para ser agradáveis.

Agora vejamos o outro lado da abundância de Carícias.

Há pessoas que andam, sempre, plenas de Carícias, porque aceitam recebê-las dos outros. Sabem que, quando alguém as elogia, está fazendo isso porque tem bom gosto e perspicácia...

Entretanto, sabem rejeitar as Carícias de que não necessitam ou que não convém receber.

Elas percebem quando estão com a "bateria" carregada e sabem que, a partir daí, alguns momentos de isolamento podem ser bons para não precisar recusar Carícias das quais não gostam.

Todos nós podemos ser criadores de ambientes abundantes de Carícias!

Você pode encher sua vida de Carícias já!

Que bom não ser como antes!

Quando alguém inicia um processo de mudança, começa também a transformar o tipo de Carícia que dá e recebe.

Muitas vezes, esse processo significa mudar as pessoas do seu círculo social ou modificar a maneira de relacionar-se com elas. Afinal de contas, não se deve esperar laranja de um pessegueiro (a menos que se queira sofrer)!

É importante saber que existem outras pessoas dispostas a dar os estímulos de que estamos precisamos.

E que podemos pedir outro tipo de Carícia para as pessoas que estão ao nosso redor, de uma nova maneira.

Por outro lado, decepcionar-se é opção de cada um de nós.

Como dizem os orientais, você nunca se decepciona com o outro. Quando se decepciona, o faz consigo mesmo, por não saber respeitar as possibilidades do outro.

É uma decisão sua esperar algo que ele não tem para lhe dar.

Esteja consciente de que sua mudança vai afetar as pessoas que você ama, mas não deixe que as reações dos outros sejam desculpas para você retroceder no seu crescimento. No final do processo, vai ver que saiu muito mais verdadeiro do que quando entrou. E as pessoas que valem a pena continuarão do seu lado.

Você só pode ter certeza de uma companhia na sua vida: você! Somente você está presente em sua vida, todo o tempo.

Por isso é importante que essa convivência seja muito agradável.

Aceite e seja aceito

Quando nascem, muitas crianças não são aceitas plenamente. E ser aceito pelo simples fato de ser gente é uma permissão básica, pois representa uma permissão para viver.

As crianças não são aceitas por vários fatores. Exemplos: a mulher engravida em um momento considerado inadequado (quando o casal ainda namora ou quando está para se separar), a criança não é do sexo desejado.

Então, quando nasce, essa criança encontra um ambiente hostil que acaba suscitando expectativas e às vezes um sentimento muito forte de culpa pelo simples fato de ter nascido.

Assim, essas crianças experimentam muito fortemente uma sensação de rejeição. Boa parte delas começa a *fazer* coisas para sentirem-se aceitas. Tornam-se fazedores.

E, quanto mais fazem, mais recebem Carícias condicionais.

E continuam cada vez mais sentindo falta de Carícias incondicionais.

Carícias simplesmente por ser.

Como aprenderam a fazer coisas, geralmente cuidam em demasia dos outros para não entrar de novo em contato com a sensação de solidão. E sentem-se responsáveis pelo mundo inteiro.

Outras crianças se cansam de fazer coisas e decidem que querem ser amadas pelo que são. Às vezes isso é ótimo, pois significa uma mudança muito importante no padrão de Carícias.

Porém, outras vezes é tremendamente prejudicial, porque elas querem que os outros as amem independentemente de sua conduta. Mas essa conduta pode ser destrutiva.

Por exemplo, uma pessoa que se julga fracassada pode estar indiretamente querendo dizer: "Papai, quero ver se você realmente me ama, mesmo que eu não consiga nada na vida".

Nesse exemplo, a pessoa está se destruindo com o objetivo de receber uma Carícia incondicional.

Quando os pais têm problemas com os filhos adolescentes, decidem tratá-los como se fossem sapos, até que eles resolvam agir como príncipes. Por outro lado, os adolescentes interpretam essa atitude como rejeição e começam a se comportar como se fossem sapos até que os pais voltem a tratá-los como príncipes.

Aí se forma um impasse. Se não houver uma mudança dos fatos, ambos terão motivos para sofrer bastante.

Trate as pessoas como príncipes, mesmo que elas estejam agindo como sapos. De repente, você vai perceber que elas viraram príncipes de novo.

Tenha autonomia e liberdade

Você é livre!

Pense nisto por alguns segundos: você é livre; tem direito de escolher com quem e como vai viver. Você pode mudar a sua vida.

Você pode estruturar a sua vida do jeito que quiser.

Porque você é livre!

Você é livre para sofrer tudo o que você quiser!

Perceba que a sua liberdade lhe dá condições para sofrer tudo o que você quiser. A cara fechada de seu marido, que está resfriado, pode provocar uma crise conjugal de um mês.

Por causa de uma buzinada no trânsito, você pode se irritar o dia inteiro.

Com a alta do dólar na semana, você entra em depressão profunda.

Porque você é livre!

Nada ou ninguém pode impedir você de sofrer tudo o que você quiser.

Perceba que nem mesmo muito dinheiro pode impedir você de se sentir pobre.

Nem um grande amor pode impedir você de se sentir mal-amado.

Nem muitos amigos podem impedir você de se sentir solitário.

Nem mesmo o sucesso pode impedir você de se sentir um fracasso.

Porque você é livre!

Você só vai parar de sofrer quando quiser.

Perceba que a opção pelo sofrimento é sua.

Quando tiver um problema, pode resolvê-lo e crescer ou se martirizar com ele o resto da vida.

Algumas pessoas decidem estar no mundo para viver, outras para sofrer. E pensam que é seu destino sofrer. Isso é uma ilusão.

Só quando tomar uma decisão você vai parar de sofrer.

Porque você é livre!

Ame e seja amado

NOSSO MAIOR PRESENTE

Cada um de nós, no momento da concepção, ganha um presente, que é a própria vida.

Podemos pensar que ganhamos esse presente dos nossos pais, de Deus, das enzimas que permitem a fecundação do óvulo.

Uma das consequências de ganhar um presente vivo é ter de cuidar dele. Assim fazemos se ganhamos um bichinho ou uma planta. Temos de cuidar deles para que continuem vivos.

Para viver a vida, precisamos dar e receber Carícias. Mas para viver uma vida especial, precisamos dar e receber a Carícia essencial.

Eu me lembro bem de como recebi uma das mais importantes Carícias essenciais da minha vida.

Eu era médico recém-formado e trabalhava com psicoterapia de pacientes mastectomizadas em 1978, estudando como a psicologia podia ajudar pacientes em recuperação de câncer.

Havia um estigma com essa doença, era como uma sentença de morte, e eu fui um dos primeiros a trabalhar com esse tipo de terapia. Por isso, a imprensa se interessou pelo meu trabalho, e pela primeira vez fui entrevistado para jornais e revistas.

Nessa época, a cada quinze dias eu ia a Santos, onde meu pai morava, para almoçar com ele. Meu pai era farmacêutico na cidade, e era muito procurado. Naquele tempo, trabalhar em farmácia era como ser o "médico" da população, pois todos iam conversar com ele.

Por tudo isso, desde pequeno, meu pai era um ídolo para mim. Eu adorava como as pessoas o procuravam para pedir conselhos e orientações, e como ele fazia isso tão bem.

Um dia, depois do almoço quinzenal com ele, falamos de carreira, de trabalho, da rotina. Na despedida, meu pai abriu uma espécie de fichário, uma pasta, em que ele havia guardado recortes de todas as entrevistas e reportagens em que eu havia saído. Eu vi que havia mais matérias que mencionavam meu nome e meu trabalho do que eu pensava.

E meu pai me falou: "Filho, sempre que sair alguma coisa, me avise para eu ver; e se você comprar para você compre uma mais para mim, para eu continuar colecionando". E concluiu: "Eu tenho muito orgulho de você".

Eu fiquei tocado com aquilo. Essa Carícia fez uma revolução na minha vida. Quando eu virei o ídolo do meu pai, isso me deu um sentido de autoconfiança que fez minha vida valer a pena.

Essa foi uma Carícia essencial que me ajudou como profissional e pessoa para o resto da minha vida.

A maneira como cuidamos dos presentes vivos que recebemos tem muita relação com quem nos deu o presente, com a nossa disposição para cuidar e com o presente em si mesmo.

Sua vida é um presente vivo.

Compreenda que essa dádiva é algo em permanente evolução e, portanto, algo para ser criado a cada momento.

Sim, nós somos recriados a cada momento. É um presente completo, mas continuará sempre se completando.

As Carícias têm muita relação com a missão de alimentar esse presente vivo.

Eu torço para que este livro o ajude a cuidar da sua maior dádiva: você.

Um grande abraço,

Roberto Shinyashiki

Referências bibliográficas

BERNE, Eric. *Análise Transacional em psicoterapia*. São Paulo: Summus, 1961.

_____. *Os jogos da vida*. São Paulo: Nobel, 1995.

_____. *O que você diz depois de dizer olá?* São Paulo: Nobel, 1998.

GOULDING, Robert; GOULDING, Mary M. *Ajuda-te pela Análise Transacional*. São Paulo: Ibrasa, 1995.

HARLOW, Harry F. O amor em filhotes de macacos. In: MCGAUGH, J. L. et al. *Psicobiologia. As bases biológicas do comportamento*. São Paulo: Polígono/Edusp, 1970.

JOINES, Vann; STEWART, Ian. *TA today: A new introduction to Transactional Analysis*. Nottingham: Lifespace Publishing, 1987.

KERTÉSZ, Roberto. *Análisis Transaccional integrada*. Buenos Aires: IPPEM, 1985.

_____. *Análise Transacional ao vivo*. São Paulo: Summus, 1987.

LEVINE, Seymour. Maternal and environmental influences on the adrenocortical response to strees in weanling rats. *Science*, v. 156, 1967, p. 258-60.

OLIVEIRA, Marco Antonio. *Reflexões sobre Eric Berne*. Porto Alegre: Est/Idort/Cip, 1980.

SPITZ, René. Hospitalism, genesis of psychiatric conditions in early childhood. *Psychoanalytic Study of the Child*, n. 1, 1950, p.138-43.

_____. Anxiety in infancy: a study of its manifestation in first year of life. *International Journal of Psychoanalysis*, n. 3, 1950, p.138-43.

_____. An Inquiry into the genesis of psychiatric conditions in early childhood. *The Psychoanalytic Study of the Child*, v. 1, 1945, p. 53-74.

STEINER, Claude. *Análise Transacional como filosofia de vida*. Publicado no TAB, 7(27) 61-64, 1968.

_____. *Os papéis que vivemos na vida*. Rio de Janeiro: Artenova, 1976.

gerente editorial
Alessandra J. Gelman Ruiz

editora de produção editorial
Rosângela de Araujo Pinheiro Barbosa

controle de produção
Elaine Cristina Ferreira de Lima

revisão
Adriana Cristina Bairrada

projeto gráfico
Kiko Farkas/Máquina Estúdio

diagramação
Cissa Tilelli Holzschuh e
Andreas Holzschuh/Sieben Gruppe

capa
Multisolution

Copyright © 1985, 2000, 2012 by
Roberto Shinyashiki
Todos os direitos desta edição são
reservados à Editora Gente.
Rua Original, nº 141/143
São Paulo, SP – 05435-050
Tel.: (11) 3670-2500
Site: www.editoragente.com.br
E-mail: gente@editoragente.com.br

Este livro foi impresso pela Gráfica Assahi em
papel pólen bold 70 g em outubro de 2022.

Dados Internacionais de Catalogação na Publicação (cip)
(Câmara Brasileira do Livro, sp, Brasil)

Shinyashiki, Roberto
A carícia essencial: viva bem com as pessoas que você ama/
Roberto Shinyashiki. - São Paulo: Editora Gente, 2012. (1ª
edição: 1985.) 3ª tiragem: 2020.

Bibliografia
isbn 978-85-7312-782-9

1. Afeto (Psicologia) 2. Análise Transacional 3. Relações
interpessoais I. Título

91-1102   cdd-158.2

Índices para catálogo sistemático:
1. Afeto: Relações interpessoais: Psicologia aplicada 158.2
2. Análise Transacional: Psicologia aplicada 158.2
3. Relações interpessoais: Psicologia aplicada 158.2

Eu adoro quando a tecnologia é como uma carícia positiva para o nosso crescimento!

Em 1994, uma empresa subsidiária da Toyota, chamada Denso-Wave, estava em busca da solução para o problema da montagem de automóveis. As peças precisavam ser identificadas para ser montadas na ordem correta, mas o código de barras tradicional, que armazena números, não era suficiente para guardar todas as informações necessárias.

Eles criaram, então, um código de barras bidimensional capaz de guardar não apenas números, mas também letras e caracteres, ou seja, texto. Foi chamado de QR code (Quick Response code), ou código de decodificação rápida.

Como toda boa solução tecnológica, seu uso foi ampliado. Hoje o QR code pode ser usado para inúmeras finalidades comerciais, guardando endereços da internet, textos, datas, sites com fotos e vídeos, informações pessoais etc. Já foi usado em revistas, cartazes, camisetas, lojas, cartões e visita, outdoors, campanhas publicitárias etc., e pode ser acessado com qualquer celular com câmera fotográfica.

Como um apaixonado por inovação, eu não poderia perder a oportunidade de ter sido o pioneiro a usar o QR code em um livro.

Para ler o código abaixo, é muito fácil. Baixe em seu celular, smartphone ou tablet um aplicativo para leitura de QR code. Abra o aplicativo, aponte a câmera de seu aparelho para a imagem abaixo e acesse as informações extras sobre o assunto desta obra que eu disponibilizei para você, e que seriam impossíveis de guardar em um livro de papel como este.